GALDOS: BURGUESIA Y REVOLUCION

JULIO RODRIGUEZ-PUERTOLAS

Universidad de California, Los Angeles

GALDOS: BURGUESIA Y REVOLUCION

EDICIONES TURNER

MADRID

© de esta edición:
EDICIONES TURNER, S. A.
Calle Génova, 3. Madrid-4
Papel fabricado por Torras Hostench

ISBN: 84-85137-17-5
Depósito legal: M. 16.219-1975

Closas-Orcoyen, S. L. Martínez Paje, 5. Madrid-29

NOTA PREVIA

El núcleo de este libro se halla constituido por cuatro ensayos que justifican el título del mismo: *Galdós: Burguesía y Revolución*. En los dos primeros, dedicados a estudiar aspectos fundamentales de esa gran novela que es *Fortunata y Jacinta*, se analiza la importancia y el papel de la burguesía madrileña de los comienzos de la Restauración, lúcida y hábilmente radiografiada por Galdós, y después, ciertos aspectos básicos de las relaciones literarias e incluso ideológicas que unen al autor de *Misericordia* con Cervantes, así como el modo en verdad genial en que Galdós une su cervantismo con la realidad social e histórica de la época en que transcurre la acción de *Fortunata y Jacinta*. El tercer ensayo constituye un análisis de *El caballero encantado*, novela poco conocida y correspondiente a la última época galdosiana, llamada, tan errónea como negligentemente, de la «senilidad»; pues es precisamente en este momento —1909— cuando Galdós, avanzado en su proceso de radicalización, llega a presidir la *Conjunción Republicano-Socialista*, se acerca progresivamente a Pablo Iglesias y al Partido Socialista Obrero Español y habla sin ambages de la necesidad de una revolución para España. En el cuarto ensayo se compara la utilización de un mismo y concreto episodio histórico del

Madrid isabelino —la degollina de frailes de 1834— por tres novelistas de muy diferente andadura: el folletinista Ayguals de Izco, el propio Galdós y el noventayochista Baroja.

Las cuatro notas que cierran el libro muestran brevemente: un ejemplo concreto de la utilización por parte de Galdós de los clásicos españoles, Francisco Santos en este caso; los antecedentes de la palabra *esperpento*, término e idea que, desarrollándolos de modo magistral, llevará a su cima Valle-Inclán; una curiosa relación entre Galdós y García Márquez, que señala, una vez más, la modernidad y actualidad de aquél; de qué modo Cortázar maneja malignamente a Galdós en su *Rayuela*, un Galdós que en cierto momento critica exactamente lo mismo que Cortázar pretende ridiculizar en el novelista español. Del cual se cumplen ahora los cincuenta y cinco años de su muerte.

De los ensayos que forman este volumen, «Galdós y *El caballero encantado*» apareció, muy resumido, en *AG*, VII (1972), 117-132; «*Fortunata y Jacinta*: anatomía de una sociedad burguesa» fue presentado como brevísima ponencia y con el título de «La clase dominante y su papel en *Fortunata y Jacinta*» ante el V Congreso de la Asociación Internacional de Hispanistas (Burdeos, septiembre 1974). Los ensayos II y IV son rigurosamente inéditos, así como las notas *b*, *c* y *d* del capítulo final. La nota *a* apareció, con variantes, en mi edición de dos obras de Francisco Santos, *El no importa de España* y *La verdad en el potro* (Londres, Tamesis Books, 1973; introducción).

SIGLAS UTILIZADAS

AG . . . . *Anales Galdosianos*
BH . . . . *Bulletin Hispanique*
CHA . . . . *Cuadernos Hispano Americanos*
EF . . . . . *Estudios Filológicos*
HR . . . . *Hispanic Review*
KFLQ . . . *Kentucky Foreign Languages Quarterly*
MLN . . . . *Modern Languages Notes*
NRFH . . . *Nueva Revista de Filología Hispánica*
OC . . . . . *Obras Completas*
PhQ . . . . *Philological Quarterly*
PSA . . . . *Papeles de Son Armadans*
PSOE . . . *Partido Socialista Obrero Español*
RH . . . . . *Revue Hispanique*
RIA . . . . *Revista Ibero Americana*
RM . . . . . *Romance Notes*
RO . . . . . *Revista de Occidente*

*Ninguna crítica imaginativa y sim-
bolista, ninguna lectura imprecisa del
texto, por muy decorada que aparezca
con teorías subjetivas, basta para explicar los problemas planteados por el
hecho de que una comprensión razona-
ble del «mundo novelístico» exige que
atendamos a las relaciones dialécticas
que existen entre ficción-realidad y entre personaje-sociedad.*

CARLOS BLANCO AGUINAGA

I

«FORTUNATA Y JACINTA»: ANATOMIA DE UNA SOCIEDAD BURGUESA

Ciertos críticos suelen considerar las extensas páginas que Galdós dedica en *Fortunata y Jacinta* a explicar la importancia y características de la burguesía madrileña de los años setenta del siglo XIX como *stale* y *boring* (1). José F. Montesinos escribe que

> se habla largamente del entrecruzamiento de los linajes mercantiles de Madrid y de la «enredadera» que han llegado a formar, trozo largo y que se lee mal, pues a las pocas líneas llega a ser inextricablemente confuso. A más de dar una impresión falsa, pues haría creer que todo el comercio de Madrid, alto y bajo, es negocio de media docena de prolíficas familias, y ello, claro, no es verdad (2).

Pero habría que empezar por señalar algo obvio: si Galdós se toma la molestia de escribir tal cúmulo

---

(1) Stephen Gilman, «The Birth of Fortunata», *AG*, I (1966), 75.
(2) *Galdós*, II (Madrid, 1969), 211.

de detalles histórico-sociogenealógicos, debe ser por algún motivo en verdad serio. Dejo aparte el hecho de que tanto Gilman como Montesinos coincidan en considerar aburridas las discutidas páginas, quizá porque suponen que todo lo que en ellas se contiene es irrelevante a la hora de estudiar esa cosa abstracta que a veces suele llamarse Literatura. Mas, después de todo, como dice Carlos Blanco Aguinaga, «¿si los novelistas "estudian" las sociedades, no deberían acaso los estudiosos de la novela intentar por fin echar una mirada sobre esas sociedades?» (3). Por otra parte, considerar falso que «media docena» de familias controlen la vida madrileña es caer en la ingenuidad falaz de desconocer la capacidad de concentración de la burguesía de todos los tiempos. Pues lo que Galdós pone al descubierto no es exactamente «el comercio de Madrid, alto y bajo», sino el proceso y los mecanismos gracias a los cuales se ha formado la potente oligarquía mercantil-financiera. Sólo después de esto es cuando pasará Galdós a «entrar en materia», es decir, a adentrarse en el conflictivo mundo amoroso de Fortunata.

Las familias de los Santa Cruz y los Arnaiz, unidas en el matrimonio de Baldomero Santa Cruz y Bárbara Arnaiz, los padres de Juanito *el Delfín*, forman parte de la famosa «enredadera» de la burguesía madrileña: unos y otros descienden de un Trujillo extremeño y albardero. Baldomero I, el abuelo de Juanito, estableció el negocio familiar en 1810, heredado en 1848 por Baldomero II. Esta fecha

_____

(3) «On the Birth of Fortunata», *AG*, III (1968), 15.

de 1848 es harto significativa: la de la revolución social en varios países europeos —incluyendo, modestamente, España—, la del primer ferrocarril español, la de la presencia del marqués de Salamanca como *entrepreneur* (con ayuda del capital extranjero, no se olvide). Al año siguiente, 1849, tiene lugar la importante reforma arancelaria que abre las puertas a los géneros europeos (4). Desde entonces, hasta 1868, en que Baldomero II traspasa el negocio, éste prospera incesantemente. Otra fecha importante: en 1835 tiene lugar el matrimonio de Baldomero II con Bárbara Arnaiz; es el momento de la desamortización, que en el Madrid de 1836 se manifiesta espectacularmente con el derribo de conventos y la venta pública de los oportunos solares. Como dice Galdós de modo explícito:

> era por añadidura la época en que la clase media entraba de lleno en el ejercicio de sus funciones, apandando todos los empleos creados por el nuevo sistema político y administrativo, comprando a plazos todas las fincas que habían sido de la Iglesia, constituyéndose en propietaria del suelo, absorbiendo, en fin, los despojos del absolutismo y del clero, y fundando el imperio de la levita (5).

Los Arnaiz son también comerciantes, con dos ramas: Arnaiz *el Gordo*, tío de Bárbara, establecido

---

(4) Cf. Jaume Vicens Vives, *Manual de historia económica de España* (Barcelona, 1959), pp. 612-614, 633-635.
(5) *Fortunata y Jacinta* (Madrid, 1968; Hernando), p. 41. Sobre la desamortización, cf. Vicens Vives, *op. cit.*, pp. 560-571.

en los años cuarenta, tras apropiarse de la tienda
de un moroso, y Bonifacio Arnaiz, abuelo materno
del *Delfín,* socio que había sido de la *Compañía de
Filipinas* (liquidada en 1833) y dueño de una tienda
de manufacturas orientales, heredada por Gumersindo Arnaiz. La llamada *tienda de Filipinas,* afec-
tada de un modo u otro por los grandes cambios
(1819, establecimiento de los ingleses en Singapur;
1859-69, construcción del canal de Suez) y por la
penetración de los productos europeos, decae visi-
blemente, y ha de ser remozada con arreglo a las
nuevas circunstancias. Arnaiz *el Gordo* —librecam-
bista, anglófilo con negocios en Londres y conec-
tado con dos compañías de seguros— piensa en 1868
seguir el ejemplo de Baldomero II, quien se retira
porque comprende que la caída de la monarquía no
es sino la señal más exterior de cambios más pro-
fundos, representados por una nueva reforma arancelaria y una vigorización del comercio y el capital
que a él le coge ya algo viejo (6). Pues «cada hombre
pertenece a su época» (p. 21): don Baldomero traspasa la tienda a dos jóvenes parientes —«los chi-
cos»— y deja en ella parte de su capital, quedando
con quince millones de reales limpios. En 1871 —el
mismo año de la boda de su hijo con Jacinta— goza
de una renta anual de 25.000 pesos, provenientes de
los beneficios de su parte en la tienda de «los chi-
cos», de los alquileres de una casa propia y de las

---

(6) Sobre la reforma arancelaria de 1869, cf. Vicens Vives,
op. cit., pp. 601, 635. Y sobre el 68, Clara E. Lida e Iris M. Zavala, *La revolución de 1868. Historia, pensamiento, novela* (Nueva York, 1970).

acciones que posee del Banco de España, acciones que continúa comprando mientras acumula una reserva para una nueva casa de pisos (7).

Ya sabemos que tanto los Santa Cruz como los Arnaiz proceden de un tronco común *trujillesco*. Ahora bien: del mismo origen vienen los *Trujillo* propiamente dichos:

> — el primer conde de Trujillo (de la *Banca Trujillo y Fernández)*, casado con una hija del marqués de Casarredonda. Una hija del marqués casa con el duque de Gravelinas; con un hermano de éste, un Alvarez de Toledo, casa otra Trujillo. Hay, en fin, un Trujillo jesuita.

Los hijos de un *Bonilla* gaditano, importador, banquero y exportador de vinos (8), casan del siguiente modo:

> — primera hija, con el propietario Sánchez-Botín, de cuyo matrimonio proceden: la generala Minio, la marquesa de Tellería y Alejandro Sánchez-Botín;
> — segunda hija, con un Moreno de Madrid, cofundador del Banco de San Fernando (9);

---

(7) La señora de Santa Cruz recibe mensualmente de su marido mil duros con destino a los gastos de la casa, personales y de su nuera Jacinta, y para «caridades».

(8) Sobre el Cádiz comerciante y burgués, cf. Vicens Vives, *op. cit.*, pp. 582, 620. Y Nicolás Sánchez Albornoz, «Cádiz, capital revolucionaria en la encrucijada económica», en Lida-Zavala, *op. cit.*, pp. 80-108.

(9) Sobre la Banca, cf. Vicens Vives, *op. cit.*, pp. 650-652, y

— tercera hija, con el duque de Trastámara, de donde procede Pepito Trastámara;
— el hijo varón, con una Trujillo.

Los *Moreno*, procedentes del valle de Mena, y con origen económico en un negocio de droguería o peletería, tienen ahora miembros de la familia en la Magistratura, la Marina, el Ejército, las profesiones liberales (Moreno-Rubio, médico) y la Iglesia: fray Luis Moreno-Isla y Bonilla, obispo de Plasencia. Además, una Moreno-Isla (pariente de los gaditanos Bonilla y Mendizábal) casa con Pascual Muñoz, ferretero madrileño; el hijo del matrimonio será el marqués de Casa-Muñoz. Una Moreno rica casa con un Pacheco-Alvarez de Toledo, hermano del duque de Gravelinas ya citado, de donde procede la famosa Guillermina Pacheco, tía de Manuel Moreno-Isla, el anglófilo enamorado de Jacinta, capitalista de la tienda de Aurora Samaniego, propietario de fincas urbanas (10) y uno de los socios principales de la *Banca Ruiz-Ochoa y Cía.*, fundada en 1819 por otro Moreno, casado con una Isla-Bonilla. Eulalia Moreno, en fin, casa con Cayetano Villuenda, propietario de fincas urbanas en Madrid.

También del valle de Mena proceden los *Samaniego*, distribuidos convenientemente en Madrid en

---

Manuel Tuñón de Lara, *Estudios sobre el siglo XIX español* (Madrid, 1971), pp. 42-44. También Gabriel Tortella, *Los orígenes del capitalismo en España. Banca, industria y ferrocarriles en el siglo XIX* (Madrid, 1973).

(10) Le sabemos dueño de la casa en que vive y muere Fortunata, tasada en 35.000 duros, y de un solar en la calle de Relatores. A su muerte, ambas fincas las hereda Guillermina Pacheco.

horteras, carniceros, sederos, cobradores de banco, agentes de Bolsa y prestamistas; a los Samaniego pertenece también la farmacia en que trabaja Maximiliano Rubín. La hermana de Jacinta está casada con Pepe Samaniego, hijo de un droguero.

Así pues, los Trujillo, Arnaiz, Santa Cruz, Bonilla, Moreno, Muñoz, Samaniego —todos burgueses— y los Gravelinas —aristócratas— se hallan unidos por lazos de sangre y de dinero (11). Un ejemplo clarísimo de la unión del clan lo constituye la descripción que Galdós hace de la cena de Navidad de 1873 (páginas 248-249) en casa de los Santa Cruz. Asisten, además de gente menuda y de los dos matrimonios Baldomero-Bárbara y Juanito-Jacinta, los siguientes personajes, calificados en cada caso por Galdós:

Villalonga, del Parlamento;
Aparisi, del Municipio;
Joaquín Pez, del Foro;
Federico Ruiz, de la Prensa, las Letras, las Sociedades Económicas y de la Industria Química (abonos);
Samaniego, casi hortera;
Ruiz-Ochoa, de la alta banca;
el marqués de Casa-Muñoz, de la aristocracia monetaria;

---

(11) Sobre «enredaderas» de familias burguesas, cf. Tuñón de Lara, *op. cit.*, pp. 196-198; en la primera de estas páginas se habla de «la ensambladura de las "grandes familias", ya sean de grandes propietarios de la tierra, gran burguesía o "cuadros" de la política, llegando a formar un todo».

un Alvarez de Toledo, de la aristocracia antigua;

Arnaiz *el Gordo* y Gumersindo Arnaiz, del Comercio y las Finanzas;

Estupiñá, del comercio antiguo, servidor de los Santa Cruz;

Guillermina Pacheco.

Las cosas están claras: el comercio, las finanzas, la banca, la industria, la prensa, las profesiones liberales, la administración pública, el Ejército y la Iglesia aparecen así o controlados o infiltrados por la oligarquía, de base terrateniente y urbana, y que no carece, en modo alguno, de conexiones con el capital extranjero que penetra en el país.

No conviene olvidar tampoco el hecho de que esta burguesía avasalladora y triunfante presenta ya sus propias contradicciones. Todavía en 1909 podía escribir Galdós lo siguiente: los capitales españoles

sólo trabajan en la comodidad de la usura, que es una cacería de acecho, como la de las arañas. La poca industria que hay es extranjera, y la española, en funciones mezquinas, busca beneficio pronto y, naturalmente, usurario (12).

Veremos más adelante, en efecto, cómo esa burguesía así descrita por Galdós no crea, en el Madrid de *Fortunata y Jacinta,* unas condiciones reales para una auténtica modernización de la sociedad. Un

---

(12) *El caballero encantado* (Madrid, 1909), p. 35.

caso distinto de contradicción es el ofrecido por Juanito Santa Cruz, señorito ocioso que vive únicamente del capital paterno. Galdós señala más de una vez cómo *el Delfín* no muestra interés alguno en continuar las actividades comerciales o financieras de la familia, sino en vivir de las rentas. Casado en mayo de 1871 con Jacinta, recibe de su padre dos mil duros semestrales, más dos o tres mil reales mensuales de su madre. Ha estudiado —pero no ejerce— Derecho y Filosofía y Letras:

> ¡Valiente truhán! ¡Si no tenía absolutamente nada que hacer más que pasear y divertirse!... Su padre había trabajado toda la vida como un negro para asegurar la holgazanería dichosa del príncipe de la casa... Don Baldomero no había podido sustraerse a esa preocupación tan española de que los padres trabajen para que los hijos descansen y gocen. Recreábase aquel buen señor en la ociosidad de su hijo como un artesano se recrea en su obra... (páginas 145 y 147) (13).

En 1879, Galdós resume en otro de sus burgueses madrileños —recuérdese que la acción de *Fortunata y Jacinta* termina en 1876— la historia y las carac-

---

(13) Clara E. Lida, «Galdós y los *Episodios Nacionales*: una historia del liberalismo español», *AG*, III (1968), 69, para lo que Galdós critica del señoritismo. Cf. en el presente estudio, algo más abajo, lo que Galdós hace decir a Torquemada sobre los alevines de la burguesía y de la aristocracia. Y también de Galdós, *El caballero encantado*, pp. 5-7, 12-13. Como señala Montesinos, «esta que adviene va a ser una generación de señoritos» (*op. cit.*, p. 213).

terísticas de la clase social a que su personaje pertenece:

> la formidable clase media, que hoy es el poder omnímodo que todo lo hace y deshace, llamándose política, magistratura, administración, ciencia, ejército, nació en Cádiz entre el estruendo de las bombas francesas... El tercer estado creció, abriéndose paso entre frailes y nobles; y echando a un lado con desprecio estas dos fuerzas atrofiadas y sin savia, llegó a imperar en absoluto, formando con sus grandezas y sus defectos una España nueva (14).

Otro personaje de los *Episodios Nacionales*, Pepe García Fajardo, ya marqués de Beramendi, se autodefine así:

> a mi nombre va unida, con el flamante título que ostento, la idea de sensatez; pertenezco a *las clases conservadoras;* soy una faceta del inmenso diamante que resplandece en la cimera del Estado, y que se llama *principio de autoridad...* (15).

Mas volvamos a *Fortunata y Jacinta.* La acción de la novela abarca de 1869 (diciembre) a 1876, incluyendo así el reinado de Amadeo I, la Primera República, los golpes militares de Pavía y Martínez Campos y año y medio de Restauración borbónica.

---

(14) *Los apostólicos, OC,* II (Madrid, 1963), 111.
(15) *Narváez, OC,* II, 1491. Cf. Lida, art. cit., pp. 61-77; Vicente Lloréns, «Galdós y la burguesía», *ibid.,* pp. 51-59.

De fundamental importancia es ver ahora cómo son las ideas, las actitudes mentales, sociales y políticas de la clase dominante en esos años cruciales de *Fortunata y Jacinta*. Es decir, sus «valores» (16).

La religión no es vivida por el clan ni con sinceridad ni con intensidad. Un ejemplo destaca en la novela. Doña Bárbara y Estupiñá coinciden cada mañana en la iglesia de San Ginés, donde oyen misa. La devoción la entreveran con referencias del siguiente tipo:

> Va a salir la de don Germán en la capilla de los Dolores... Hoy reciben congrio en la casa de Martínez; me han enseñado los despachos de Laredo... *Llena eres de gracia; el Señor es contigo...* Coliflor no hay, porque no han venido los arrieros de Villaviciosa por estar perdidos los caminos... ¡Con estas malditas aguas!... *Y bendito es el fruto de tu vientre, Jesús...* (p. 124; Estupiñá).
>
> *Ahora y en la hora de nuestra muerte...* Sí, ya... ¡Si son como las rosquillas inglesas que me hiciste comprar el otro día, y que olían a viejo!... Parecían de la boda de San Isidro (página 126; doña Bárbara).

Nicolás Rubín, hermano de Maxi, ha llegado al sacerdocio por influencia de un tío suyo, capellán de las *Doncellas Nobles* de Toledo; sus pretensiones

---

(16) Sobre los «valores» burgueses, cf. Karl Marx y Fredrich Engels, *Manifiesto Comunista* (Toulouse, 1946; traducción de Rafael García Ormaechea), II, pp. 52-54.

son «ingresar no sé si en el clero castrense o en el catedral» (p. 293), con la misma actitud de quien busca un oficio público y con los mismos fines. Su estrepitoso fracaso evangélico con Fortunata —así como el del padre Nones— habla por sí solo. Guillermo Pacheco, *la rata eclesiástica*, es un caso especial, con sus caridades públicas y ostentosas (17); figura ambigua, la ambigüedad desaparece por comparación en el momento en que Galdós habla de otro tipo de caridades, las llevadas a cabo por Evaristo Feijoo:

> estas caridades discretas las hacía muy a menudo Feijóo con los amigos a quienes estimaba, favoreciéndoles sin humillarles. Por supuesto, ya sabía él que aquello no era prestar, sino hacer limosna, quizá la más evangélica, la más aceptable a los ojos de Dios (p. 649).

La conocida frase de Jean-Paul Sartre, según la cual «la caridad burguesa alimenta el mito de la fraternidad» (18), puede aplicarse perfectamente al mundo «creado» por Galdós en *Fortunata y Jacinta*. Se supone que los burgueses creen en el honor. Sobre esto, basta recordar lo que dice Juanito Santa Cruz: «¡Bah! El honor es un sentimiento convencional» (p. 161). O las siguientes palabras del mismo Juanito, verdadero programa de moral burguesa,

---

(17) Cf., sobre este personaje, Lucille V. Braun, «Galdós' Recreation of Ernestina Manuel de Villena as Guillermina Pacheco», *HR*, XXXVIII (1970), 32-55.
(18) *¿Qué es la literatura?* (Buenos Aires, 1957, 2.ª), p. 15.

palabras hipócritamente tautológicas, si no olvidamos que «las ideas dominantes en una época han sido siempre las de la clase entonces dominante» (19):

> Nuestras ideas deben inspirarse en las ideas generales, que son el ambiente moral en que vivimos (p. 265).

En efecto, la *forma*, las apariencias, son básicas en el sistema burgués, y así lo manifiesta explícita y repetidamente Feijoo, de modo especial en el capítulo IV de la Tercera Parte, titulado «Un curso de filosofía práctica» (20). En relación con esto se halla el importante tema de la familia como institución. A este respecto, la presentación de la problemática burguesa sobre la familia en Galdós coincide con la hecha en el *Manifiesto Comunista:*

> Pero ¿cuál es la base de la familia actual, de la familia burguesa? El capital, la propiedad privada... La altisonante fraseología burguesa sobre la familia, la enseñanza, las relaciones entre padres e hijos, se hace más odiosa a medida que la gran industria va destruyendo, en-

---

(19) *Manifiesto Comunista,* p. 54.
(20) Cf. lo que dice el marqués de Torralba en *El caballero encantado* (ed. cit., p. 6): «Un cumplimiento exacto de las fórmulas y reglas del honor, la cortesía, el decoro en las apariencias. Nada de escándalos, nada de singularizarse en sitios públicos; evitar en todo caso la nota de cursi; proceder siempre con distinción; divertirse honestamente; al teatro a ver obras morales, cuando las hubiere; a misa los domingos por *el que no digan,* y por las noches a casita temprano.»

tre los proletarios, cada vez con mayor rigor, los vínculos familiares... (21).

La burguesía es, desde luego, «nacionalista» y «patriótica». En la ya citada cena de Navidad de 1873, el teniente de alcalde Aparisi y el banquero Ruiz-Ochoa se enzarzan, con la ayuda del *champagne*, en una elevada controversia:

> Aparisi, siempre que se ponía peneque, mostraba un entusiasmo exaltado por las glorias nacionales. Sus *jumeras* eran siempre una fuerte emersión de lágrimas patrióticas, porque todo lo decía llorando. Allí brindó por los *héroes de Trafalgar*, por los *héroes del Callao* y por muchos otros héroes marítimos... A Ruiz también le daba por el patriotismo y por los héroes, pero inclinándose a lo terrestre y empleando un cierto tono de fiereza. Allí sacó a Tetuán y a Zaragoza, poniendo al extranjero como chupa de dómine, diciendo, en fin, que *nuestro porvenir está en Africa* y que el Estrecho es un arroyo español (p. 249) (22).

Pero lo que en verdad se oculta tras esta hueca retórica es algo mucho más concreto y positivo. El 10 de febrero de 1873 abdica Amadeo I y se produce una inmediata baja en los valores de la Bolsa de Madrid:

---

(21) Ed. cit., pp. 52-53.
(22) Véase otro ejemplo semejante en Juanito, sobre las glorias mediterráneas, mencionado más abajo, al tratar de lo intrahistórico (p. 89).

—Fui al Casino a llevar la noticia. Cuando volví al Bolsín estaba haciendo el consolidado a veinte (Villalonga).

—Lo hemos de ver a diez, señores —dijo el marqués de Casa-Muñoz, en tono de Hamlet.

—¡El Banco a ciento setenta y cinco...! —exclamó don Baldomero, pasándose la mano por la cabeza y arrojando hacia el suelo una mirada fúnebre.

—Perdone usted, amigo —rectificó Moreno-Isla—. Está a ciento setenta y dos... (páginas 139-140).

En diciembre del mismo 1873, en vísperas del golpe de estado de Pavía y de la liquidación de la República, la Bolsa continúa bajando, alarmando más y más a los capitalistas:

—... Venía yo con Cantero de la Junta del Banco. Por cierto que estamos desorientados. No se sabe dónde irá a parar esta anarquía. ¡Las acciones, a ciento treinta y ocho!... (Don Baldomero).

—¡Pobre España! Las acciones, a ciento treinta y ocho...; el consolidado, a trece (ibídem).

—¿Qué trece? Eso quisiera usted... Anoche le ofrecían a once en el Bolsín y no lo quería nadie. Esto es el diluvio (Aparisi) (p. 154; cf. también pp. 257 y 273) (23).

---

(23) Sobre la Bolsa, cf. Vicens Vives, *op. cit.*, pp. 567, 646, 654-656.

El oportunismo de la burguesía, y sin duda la confianza en su propio poder, hace que ciertas palabras del marqués de Casa-Muñoz pronunciadas ante sus amigos el día anterior a la proclamación de la República sean acogidas con rumor «laudatorio»:

> diré a ustedes que a mí no me asusta la República; lo que me asusta es el republicanismo (página 140).

Lo que parece una paradoja no lo es en modo alguno; algo más adelante (p. 142) el mismo personaje habla «de las *exageraciones liberticidas* de la demagogia roja y de la demagogia blanca»; lo que todo ello significa es bien sabido: la burguesía es indiferente a las formas de gobierno, si bajo éstas puede seguir controlando la vida económica del país. No será ocioso citar, al llegar aquí, lo dicho por León Trotsky sobre la Segunda República española, que compara muy apropiadamente con la Primera:

> La base de apoyo de los republicanos españoles, como ya hemos dicho, está fundada enteramente en las relaciones de propiedad existentes. No podemos esperar que se expropie a los grandes propietarios de la tierra, ni que liquiden los privilegios de la Iglesia Católica, ni que limpien los establos de la burocracia civil y militar. La «camarilla» monárquica se reemplazaría simplemente por una «camarilla» republi-

cana, y tendríamos una nueva edición de la corta y estéril república de 1873-1874 (24).

Aquí están las raíces del «patriotismo» burgués, que, por otro lado, puede manifestarse en la huida al extranjero, como hace Moreno-Isla («por si vienen mal dadas, me voy mañana para Londres»; página 143), y en la fuga de capitales:

¿Qué se desprende de esto? Que cuando hay libertad mal entendida y muchas aboliciones los ricos se asustan, se van al extranjero y no se ve una peseta por ninguna parte (p. 925).

El fondo de la cuestión es claro:

al marqués lo que le tiene con el alma en un hilo es que se levante *la masa obrera* (p. 156).

Una *masa obrera* que ya había celebrado su primer congreso en 1870, que participaba en las tareas de la Internacional en 1871, cuya sección francesa había aterrorizado a la burguesía europea con la Comuna de ese mismo año y que en la propia España, en Alcoy, mostraría poco después su ardor revolucionario (25). No es por casualidad que Mo-

_____

(24) *The Spanish Revolution, 1931-39* (Nueva York, 1973), p. 83.
(25) Hechos que no constan en *Fortunata y Jacinta*. Cf. sobre todo esto: Oriol Vergés Mundó, *La Primera Internacional en las Cortes de 1871* (Barcelona, 1964); José Termes Ardévol, *El movimiento obrero en España. La Primera Internacional* (Barcelona, 1965), y *Anarquismo y sindicalismo en España. La Primera Internacional* (Barcelona, 1972); Clara E. Lida, *Anarquismo y revolución internacionalista alcoyana de 1873* (Alicante, 1959);

reno-Isla sostenga la idea de que en España no hay sino tres cosas buenas: «la Guardia Civil, las uvas de albillo y el Museo del Prado» (p. 598).

Como ya ha sido visto, la caída de la República coincide con una baja espectacular de la Bolsa. El golpe militar del general Pavía, instrumento seguro de la burguesía,

> había estado admirablemente hecho, según don Baldomero, y el ejército había salvado *una vez más* a la desgraciada nación española (página 273) (26).

Vieja, conocida y significativa frase, desempolvada cada vez que la clase dominante llega al límite de su resistencia. De la liquidación de la República en enero de 1873 a la Restauración monárquica de diciembre del mismo año no hay sino un paso lógico y bien medido. Alfonso XII es una fachada respetable tras de la cual se ocultan las mismas fuerzas y los mismos intereses de la burguesía. A su manera —una manera simplista y deformada por su manía religiosa—, Guillermina Pacheco lo explica sin que quepa la menor duda posible:

> ... porque *le hemos traído con esa condición:* que favorezca la beneficencia y la religión. Dios le conserve... (pp. 581-582).

Manuel Tuñón de Lara, *El movimiento obrero en la historia de España* (Madrid, 1972). Y, como base, F. Engels, *Los bakuninistas en acción*, en Marx-Engels, *Revolución en España* (Barcelona, 1970), pp. 191-214.

(26) Y también la Guardia Civil, representada por el coronel

Y algo parecido dice Baldomero Santa Cruz:

¿Qué me dices del rey *que hemos traído?*
Ahora sí que vamos a estar en grande (p. 598).

Otro texto galdosiano, citado a menudo, es revelador a este respecto (27):

La Corte ha partido para La Granja... [Pero] en torno de la Corte propiamente dicha se han levantado poco a poco otras cortes y otros tronos; junto a las rancias y apergaminadas aristocracias se han levantado otras aristocracias. Si la nobleza de la sangre sigue a la Corte, la nobleza del dinero permanece en Madrid; las lujosas tiendas permanecen abiertas, ofreciendo al público sus variados adminículos; el lujo y la moda que no abdican ni son destronados jamás... (28).

Así pues, *Fortunata y Jacinta* termina precisamente en el momento histórico en que «la burguesía se las arregló finalmente para obtener todo el control, y en último término, incluso se fabricó un rey burgués» (29). La oligarquía madrileña, con evidente margen de movilidad (la vieja aristocracia empa-

---

Iglesias, sin duda como corroboración del pensamiento de Moreno-Isla. La participación de la burguesía en el golpe militar queda clara en las pp. 275-281, en que Villalonga narra lo sucedido y su papel en ello.

(27) Gilman, art. cit., p. 74; Blanco Aguinaga, art. cit., p. 15.
(28) *Crónica de Madrid* (9-VII-1865), *OC*, VI (Madrid, 1961), 1516.
(29) Blanco Aguinaga, art. cit., loc. cit.

renta con los burgueses (30); éstos redondean su posición social con nuevos títulos de nobleza), se apoya en el Ejército (una heredera del matrimonio Sánchez-Botín con la primera hija del gaditano Bonilla casa con el general Minio) y en la Iglesia (el obispo de Plasencia es un Moreno-Isla y Bonilla), amén de dominar, como ya sabemos, la Administración pública, la Magistratura, etc. (31).

La avasalladora burguesía maneja también, a otros niveles inferiores, a algunos estratos muy útiles para sus fines, formados por elementos desclasados, víctimas de la competencia y de la agresividad de los triunfadores. Así sucede, por ejemplo,

---

(30) Sobre la unión de aristocracia y burguesía, cf. Tuñón de Lara, *Estudios*, pp. 119, 156, 179, 189-190. García Ormaechea, en las notas a su traducción del *Manifiesto Comunista*, escribe (p. 82): «Mas la subsistencia de la nobleza de sangre... no resta fuerza alguna a la burguesía. Precisamente por conservar aquélla su caudal, tiende económicamente a fundirse con la burguesía; y el hecho de que muchos aristócratas dediquen su patrimonio a la explotación de industrias, prueba cuán próxima está su completa unión con la clase capitalista, si es que no se ha efectuado ya.» Pablo Iglesias decía en 1885, ante la Comisión de Reformas Sociales: «Todos sabéis que donde está el capital allí está la moderna aristocracia. Al lado de Manzanedo, cuando vivía, no se podía poner ningún aristócrata. ¿Le hacían falta pergaminos? Pues los compraba; y a los que en la posesión del capital han sucedido a Manzanedo les pasa lo mismo... Resulta, pues, que la clase media es la única que domina; que a su lado los restos de las otras no sirven más que de cortejo...» (en Pablo Iglesias, Jaime Vera, García Quejido y otros, *La clase obrera española a finales del siglo XIX;* Madrid, 1973; 2.ª, p. 48). No será la única vez que cite este informe en la *Comisión de Reformas Sociales*, que sin duda Galdós conocía; las reuniones de la *Comisión* duraron de octubre de 1884 a enero de 1885; el texto de las diferentes intervenciones se publicó el año 1889, en Madrid.

(31) Sobre el control que ejerce la burguesía, cf. Vicens Vives, *op. cit.*, pp. 560-561. Tuñón de Lara, *Estudios*, pp. 156, 188-189.

con Plácido Estupiñá y con Juan Pablo Rubín, procedentes ambos del comercio, pero fracasados y arruinados. En efecto, Estupiñá comenzó siendo hortera de los Arnaiz; en 1837 se estableció por su cuenta con un pequeño comercio de «bayetas y paños del reino» (p. 51) en la Plaza Mayor. Estupiñá, sin la menor agresividad ni afición por tales actividades, pasaba las horas —como todo lector de la novela recordará con delicia— hablando con sus amigos y despachando pronto y mal a los escasos compradores:

> pertenecía, pues, Estupiñá a aquella raza de tenderos, de la cual quedan aún muy pocos ejemplares, cuyo papel en el mundo comercial parece ser la atenuación de los males causados al consumidor de la malsana inclinación a gastar el dinero (p. 52).

La crujía fue total, y Estupiñá terminó embargado. Se dedicó entonces a corredor de géneros y a contrabandista en pequeña escala, pero en verdad acabó como un satélite menor de los Santa Cruz: fue ayo de Juanito, cumplidor fiel de las órdenes de la familia, servidor de la misma, en suma (32).

En 1868 —fecha ya conocida— moría Nicolás Rubín, padre de los tres Rubines de la novela, y desaparecía, al propio tiempo, su tienda de tirador de oro:

---

(32) En 1869, Estupiñá era «corredor de dependientes»; en 1876, administrador de la casa en que murió Fortunata: «además, muchos comerciantes ricos le protegían» (p. 55).

33

2

La muerte de éste don Nicolás Rubín y el acabamiento de la tienda fueron simultáneos. Tiempo hacía que las deudas socavaban la casa... no dejando a sus hijos más herencia que la detestable reputación doméstica y comercial, y un pasivo enorme que difícilmente pudo ser pagado con las existencias de la tienda. Los acreedores arramblaron por todo, hasta por la anaquelería, que sólo sirvió para leña. Era contemporánea del Conde-Duque de Olivares (p. 290).

De los tres «herederos» interesa aquí el mayor, Juan Pablo, que entre otros oficios tuvo el de agente comercial; obtuvo por influencias una credencial de inspector de policía en provincias, y después otra que no aparece muy definida en la novela: «cosa de cárceles o presidios» (p. 292); fue también agente carlista —gracias a su hermano Nicolás, el cura—, comprando armas en Inglaterra e introduciéndolas en España en 1873. Tras breve encarcelamiento por oscuras razones, Juan Pablo Rubín terminó siendo nombrado, sintomática y caciquilmente, gobernador de una provincia «de tercera clase» por la primera administración canovista (p. 946); o, con otras palabras: acepta «el turrón alfonsino» (p. 646), que le es ofrecido directamente por Jacinto Villalonga, ya alto cargo en el Ministerio de la Gobernación. Estupiñá y Juan Pablo Rubín, procedentes ambos de los estratos inferiores de la burguesía, aniquilados económicamente en la dura lucha competitiva, son *utilizados* apropiadamente, cada uno a diferente nivel y de acuerdo con sus respectivas habilidades (33).

Este cuadro de la burguesía quedaría incompleto si nos olvidásemos —y Galdós no lo hace— del grupo de prestamistas y usureros, fauna precapitalista que sobrevive en la sociedad española del siglo XIX cuando, como dice Karl Marx,

> los préstamos no se ajustan ni pueden ajustarse en el sentido del régimen de producción capitalista: cuando se pide un préstamo a causa de la penuria individual, como ocurre en el Monte de Piedad; cuando se presta a ricos derrochadores, para sus diversiones; o incluso cuando se trata de un productor no capitalista, como en el caso del pequeño campesino, del artesano, etc... (34).

Y, como dice Galdós,

> es curioso de ver, por ejemplo, cuando Pepito Trastámara, que lleva el nombre de los bastardos de Don Alfonso XI, va a pedir dinero a Cándido Samaniego, prestamista usurero, individuo de la *Sociedad protectora de señoritos necesitados* (p. 114).

El inefable Torquemada, héroe de toda una serie de novelas galdosianas, explica así en *Fortunata y*

---

(33) Sobre la caída de «las clases medias de otro tiempo», cf. *Manifiesto Comunista*, I, pp. 45 y 47, ed. cit.

(34) *El capital*, II (Madrid, 1967; ed. de Jesús Prados Arrarte), III.V.XXXVI, p. 1038.

Jacinta —donde aparece como amigo y socio de doña Lupe *la de los pavos*— el problema:

> ... estos señoritos disolutos son buenos parroquianos, porque no reparan en el materialismo del premio y del plazo; pero al fin la dan, y la dan gorda. Hay que tener mucho ojo con ellos. Al principio, el embargo los asusta... Vea usted al marquesito de Casa-Bojío; le embargué el mes pasado, le vendí hasta la lámina en que tenía el árbol genealógico. Pues, finalmente, a los tres días, me le vi en un faetón, como si tal cosa... (p. 361; cf. también p. 362) (35).

Hasta aquí hemos visto cómo y de qué manera se ha formado la oligarquía que ha producido la Restauración monárquica, y cómo y de qué manera domina y controla la vida del país. Pero, como bien sabemos, en *Fortunata y Jacinta* no aparece sólo la burguesía en sus diferentes estratos. Aparecen también, y no de forma estática, lineal o vertical, sino dialéctica, el *cuarto estado*, el *pueblo*. Nos encontramos aquí con una importante cuestión que es preciso delimitar cuidadosamente antes de adentrarnos en ella. Galdós no utiliza el término *proletario* o *proletariado* —sí la expresión más ambigua de *masa obrera*, como ha sido visto—. Conviene tener en cuenta, en todo caso, que en el Madrid de *Fortunata y Jacinta* no hay técnicamente proletariado digno de tal nombre, y, desde luego, el poco que pudiera haber, sin organización. El PSOE fue

---

(35) Cf. Nicholas G. Round, «Time and Torquemada: Three Notes on Galdosian Chronology», *AG*, VI (1971), 79-97.

fundado en 1879 —cuatro años después de la muerte de Fortunata—, y contaba inicialmente con 249 afiliados. Madrid era una ciudad, por lo que a las clases populares se refiere, formada por la emigración campesina de las provincias, por horteras y, en especial, por gentes que vivían al servicio de las clases pudientes. Pero intentemos ver, primero, y con atención, el escaso componente proletario que consta en la novela.

Hay en *Fortunata y Jacinta* un trasfondo difuso de quienes viven por sus manos: albañiles (pp. 187, 211, 448, 1035), canteros (448), barrenderos (841, 915), ferroviarios (87, 95), obreros en general (397), «los obreros [que] llevaban el saquito con el jornal» (240); se menciona la Fábrica de Tabacos y sus trabajadoras (211), la Fábrica de Gas (no sin ironía: «¡Oh, prodigios de la industria!», 190), la construcción de una serrería (187)... Y los cajistas de imprenta, de donde saldrán, como es bien sabido, los más conscientes militantes del proletariado madrileño, con Pablo Iglesias como ejemplo máximo (36); pero el cajista de *Fortunata y Jacinta*, hijo de Ido del Sagrario, no es, precisamente, un trabajador concienciado: desea ser torero y asiste más a las becerradas de Getafe y Leganés que a la imprenta (pp. 163, 184). Y esto es todo por lo que al proletariado se refiere. ¿Olvido, ignorancia galdosiana de una realidad inexcusable? Sin duda que

_____

(36) Cf. Francisco Mora, *Historia del socialismo obrero español desde sus primeras manifestaciones hasta nuestros días* (Madrid, 1902); Juan José Morato, *El Partido Socialista Obrero* (Madrid, 1918); Luis Gómez Llorente, *Aproximación a la historia del socialismo español* (Madrid, 1972).

no es éste el caso; basta repasar cualquier estudio sobre la sociedad madrileña y española de la época para darse cuenta de la casi inexistencia de un proletariado militante en la capital, como ya he mencionado (37). Y, sin embargo, Galdós sabe muy bien que no es la tónica de otros lugares del país, como, por ejemplo, Barcelona. El curioso viaje de novios de Juanito Santa Cruz y de Jacinta por varias regiones peninsulares (38) les lleva también a la Ciudad Condal, donde es la joven —sintomáticamente— y no *el Delfín* quien se siente profundamente interesada por lo que ve. Y ¿qué es ello?:

> Pasaron ratos muy dichosos visitando las soberbias fábricas de Batlló y de Sert, y admirando sin cesar, de taller en taller, las maravillosas armas que ha discurrido el hombre para someter a la Naturaleza... (p. 87) (39).

(37) Cf., además de los trabajos mencionados en notas anteriores, Vicens Vives, *Coyuntura económica y reformismo burgués* (Barcelona, 1968), pp. 143-215, y especialmente Juan José Morato, *Pablo Iglesias, educador de muchedumbres* (Barcelona, 1968), p. 38: «en medio tan adverso como Madrid, de industria rudimentaria, de talleres gremiales..., de obreros sin espíritu de clase y en su inmensa mayoría indiferentes a los ideales y a la política». Y, del mismo autor, *Líderes del movimiento obrero español, 1868-1921*, ed. de V. Manuel Arbeloa (Madrid, 1972), páginas 57, 79-80. Sobre el Madrid de 1868 decía Anselmo Lorenzo: «los trabajadores, en su mayoría tabernarios, indiferentes a los ideales... no ofrecían contingente para la implantación de la Internacional. En Madrid no había más industria que la imprescindible» (*apud* Morato, *Líderes..*, p. 257).

(38) El artículo de Suzanne Raphäel, de prometedor título, «Un extraño viaje de novios» (*AG*, III, 1968, 35-49), resulta decepcionante; la autora ni siquiera menciona el importante episodio de Barcelona, que cito seguidamente.

(39) Sobre los hombres de empresa catalanes, cf. Vicens Vives, *Industrials i politics del segle XIX* (Barcelona, 1958).

Y sigue Galdós:

... en un laberinto de máquinas ruidosas y ahumadas, o en el triquitraque de los telares. Los de Jacquard, con sus incomprensibles juegos de cartones agujereados, tenían ocupada y suspensa la imaginación de Jacinta, que veía aquel prodigio y no lo quería creer. ¡Cosa estupenda! (ibíd.).

Es evidente la intención de Galdós: este pasaje es complemento lógico *y necesario* de todo lo que el novelista ha explicado previamente acerca del comercio madrileño, alimentado de modo especial por la industria catalana. La inteligente y sensible Jacinta comprende ahora esa relación y su total mecanismo orgánico:

Está una viendo las cosas todos los días y no piensa en cómo se hacen ni se le ocurre averiguarlo. Somos tan torpes que al ver una oveja no pensamos que en ella están nuestros gabanes. ¿Y quién ha de decir que las chambras y enaguas han salido de un árbol? ¡Toma, el algodón! ¿Pues y los tintes? El carmín ha sido un bichito, y el negro, una naranja agria, y los verdes y azules, carbón de piedra... (40).

Y sobre el papel de la industria en la lucha por el dominio de la Naturaleza, cf. Marx, *Manuscritos: Economía y Filosofía* (Madrid, 1974; 5.ª), pp. 151-153.

(40) Muy semejante es lo que Galdós dice en *La razón de la sinrazón* (Madrid, 1915), p. 240: «los niños... presencian la siembra del grano, la recolección; ven el trigo en las eras, en el

Tras estas ideas acerca de la separación del hombre moderno de la naturaleza y del proceso productivo, la misma Jacinta muestra cómo con «su claro juicio sabía mirar cara a cara los problemas sociales» (p. 88):

No puedes figurarte... cuánta lástima me dan esas infelices muchachas que están aquí ganando un triste jornal, con el cual no sacan ni para vestirse. No tienen educación; son como máquinas, y se vuelven tan tontas...; más que tontería debe de ser aburrimiento... Llega un momento en que dicen: «Vale más ser mujer mala que máquina buena» (ibíd.).

Galdós llega aquí a formular de forma impresionantemente clara el problema de la cosificación y alienación del proletariado, tan fundamental en la ideología marxista (41). No puede decirse después

_____

molino; y como tenemos tahona en la casa, se hacen cargo de las transformaciones de la mies hasta convertirse en pan. Saben cómo se hace el vino, el aceite, los quesos, el carbón...».

(41) Cf. Marx, *Manuscritos*, pp. 54 y 55: el obrero «se ve rebajado en lo espiritual y en lo corporal a la condición de máquina, y de hombre queda reducido a una actividad abstracta y un vientre»; «ha sido degradado a la condición de máquina, la máquina puede oponérsele cómo competidor». Cf. también István Mészáros, *Marx's Theory of Alienation* (Nueva York-Londres, 1972). Véase lo que el doctor José Letamendi decía en la inauguración del curso de 1874 en la Academia de Medicina de Barcelona (citado por José Aymat, también informador oral de la *Comisión de Reformas Sociales;* en *La clase obrera*, p. 42): «¿No es un dolor ver que la máquina... venga en definitiva a ponerle [al proletario] en condiciones inferiores... aun a las de la máquina misma que maneja?... Ese hombre queda reducido a nacer, crecer y degenerar vigilando los movimientos de una autómata o acabalando por arte estúpida-

de esto que el autor de *Fortunata y Jacinta* ignore
la cuestión obrera. Lo cual, por otro lado, guarda
estrecha relación con lo que sabemos de Galdós
mismo. Ya en 1871 y 1872 se hacía eco de la existencia de la Internacional, si bien no con excesiva simpatía (42). Pero ya en el propio 1872 se pregunta:

¿Qué es preferible: el pueblo supersticioso,
según la escuela antigua, o el pueblo filósofo,
según la escuela de la Internacional? (43).

mente sencillo y monótono los productos de ésta...» El doctor
Jaime Vera, en nombre de la Agrupación Socialista Madrileña,
se refería así al mismo problema y también ante la *Comisión
de Reformas Sociales* (*La clase obrera*, p. 176; cf. también
Ciencia y proletariado. Escritos escogidos de Jaime Vera, edic.
de Juan José Castillo; Madrid, 1973, pp. 21-23): «hacen de él
[del obrero] un hombre truncado, fragmentario, o el apéndice
de una máquina; le oponen como otros tantos poderes hostiles
las potencias científicas de la producción, sustituyen al trabajo
atractivo el trabajo forzado; hacen cada vez más anómalas las
condiciones en que se trabaja, y someten al obrero durante su
servicio a un despotismo tan ilimitado como mezquino; trans-
forman su vida entera en tiempo de trabajo, le arrebatan
su mujer y sus hijos para arrojarlos bajo la rueda del monstruo capitalista». Sobre el *Informe* de Vera, cf. Tuñón de Lara,
Medio siglo de cultura española (1885-1936) (Madrid, 1970), páginas 85-90. El *Informe* se publicó en el año 1885, en Madrid, en
edición que bien pudo conocer Galdós.
(42) Antonio Regalado García, *Benito Pérez Galdós y la novela histórica española: 1868-1912* (Madrid, 1966), pp. 94-95;
Lida, art cit., p. 68; Tuñón de Lara, *El movimiento obrero
español en la historia de España* (Madrid, 1972), pp. 195-203.
(43) *Crónica de la Quincena*, 30-V-1872, ed. William L. Shoemaker (Princeton, 1948), p. 136. Sobre la evolución de Galdós
en cuestiones sociales y políticas, que culminará en su aproximación al PSOE (pero no en su militancia en dicho partido,
como afirma equivocadamente Fernando Chueca Goitia en
«La ciudad galdosiana», *CHA*, núms. 250-252, octubre 1970-enero
1971, p. 94) y en presidir la *Conjunción Republicano-Socialista*
de 1909, cf. cap. III del presente libro, y antes Peter B. Goldman, «Historical Perspective and Political Bias: Comments on
Recent Galdós' Criticism», *AG*, VI (1971), 113-124. Goldman

Y en 1885, poco antes de comenzar *Fortunata y Jacinta*, escribe:

El gran problema social que, según todos los síntomas, va a ser la gran batalla del siglo próximo se anuncia en las postrimerías del actual con chispazos, a cuya claridad se alcanza a ver la gravedad que entraña. Los mismos perfeccionamientos de la industria lo hacen cada vez más pavoroso, y la competencia formidable, trayendo inverosímiles baraturas, y fundando el éxito de ciertos talleres sobre las ruinas de otros, produce desastres económicos que van a refluir siempre sobre los infelices asalariados. *En estas catástrofes, el capital suele salvarse alguna vez; el obrero sucumbe casi siempre* (44).

Pero volvamos al Madrid de Fortunata, un Madrid en el cual, como sabemos, no puede hablarse de la existencia de un proletariado consciente, pero sí, y de qué manera, de la de aquello que Galdós llama de modo apropiado *el cuarto estado*. El capítulo IX de la Primera Parte se titula, precisamente, «Una visita al *cuarto estado*» (pp. 173-224), aquel en que Jacinta y Guillermina Pacheco comienzan su investigación en busca del supuesto hijo de Fortunata y de Juanito. Las dos amigas bajan por la calle

---

anunciaba entonces un trabajo que no he visto publicado todavía: «Galdós' *pueblo*: A Social and Religious History of the Lower Classes in Madrid, 1885-1898».

(44) *Cronicón*, 1883-1886, en *Obras Inéditas*, VI (Madrid, 1924), 148-149.

de Toledo hacia los barrios del sur de la capital. Lo primero que les llama la atención, tras la serie de pequeñas y miserables tiendas que ven, es la abundancia de tabernas, con sus puertas pintadas de un rojo chillón. Guillermina exclama:

> Cuánta perdición. Una puerta sí y otra no, taberna. ¡De aquí salen todos los crímenes! (página 175).

¿Simple costumbrismo? Algo más. Una de las tareas primeras de Pablo Iglesias y de los fundadores del PSOE no fue otra que la de organizar campañas contra el alcoholismo tabernario del pueblo, considerándolo, lógicamente, como vía de escape, irracional y desclasada (45). Llegan, por fin, Jacinta y Guillermina a su destino, una casa de vecindad en Mira el Río, 12 (p. 163). Lo que Galdós va a describir aquí, como dice Tuñón de Lara, no encaja en los límites del mero populismo:

> es un documento irremplazable para conocer las condiciones de la vivienda obrera en el Madrid de aquellos tiempos (46).

---

(45) Cf. la bibliografía citada sobre el PSOE, nota 37, y además, en *La clase obrera* el informe titulado «Condición económica de la clase obrera», de Enrique Serrano Fatigati, especialmente pp. 98-99. En el Madrid de 1884-1885 existían «1.713 establecimientos donde se expenden vinos, aguardientes y otras bebidas alcohólicas más o menos adulteradas» (p. 98); «el estado de embriaguez predispone aquí más que en otros países a la comisión de delitos y crímenes...» (p. 99).
(46) *Medio siglo*, pp. 25-26. Coincide Galdós con lo dicho por Matías Gómez Latorre —de la *Sociedad Montepío de Tipógrafos*— ante la *Comisión de Reformas Sociales* (*La clase obre-*

La casa tiene dos patios; entre uno y otro «había un escalón social, la distancia entre eso que se llama *capas*» (p. 179). Veamos quiénes habitan aquí, atendiendo a sus «profesiones»: una vendedora de higos (p. 177); un zapatero remendón con el taller en la propia vivienda (p. 178)(47); una costurera (ibíd.); una tripera (179); varios ciegos y lisiados que cantan romances y piden limosna (180, 203-204); prostitutas (180); un mielero (191); un pintor de panderetas (ibíd.); una obrera de la Fábrica de Tabacos (211); un albañil (ibíd.); una gallinejera (215); un empapelador (ibíd.); la viuda de un comandante, realquilada (ibíd.); Mauricia *la Dura* (211-212); José Ido del Sagrario con su familia: él, corredor de libros publicados en Barcelona (157), con una hija aprendiza de peinadora (163, 184) y un hijo cajista de imprenta (163, ya mencionado más arriba), y todos ellos dedicados, además, al extraño «oficio» de ribetear de luto sobres y papel de cartas (182-183). Y José Izquierdo, tío de Fortunata, de quien se hará mención más detallada algo después. Fuera de la casa de Mira el Río, y en diferentes ocasiones a lo largo de la novela, nos encontramos con un Madrid en el que hay *randas* y *descuideros* (p. 191), taberneros (192), organilleros (240), tromboneros (721), mendigos y lisiados (118, 841, 853), floristas y loteras (842), pequeños tenderos, gentes de los mercados, criados (destaca Papitos, al servicio de doña

---

ra, pp. 20-22), y por el ya citado Serrano Fatigati (*ibid.*, páginas 94-95).

(47) El artesano, resto de viejas épocas, es ahora un pequeño burgués; cf. *Manifiesto Comunista*, notas de García Ormaechea, ed. cit., p. 82.

Lupe, de doce años de edad, 309), prostitutas (como lo ha sido la propia Fortunata; 302, 324-325), etc.

Resulta obvio que este abigarrado mundo no pertenece, en modo alguno, al proletariado, y que dentro de él hay una serie de estratos, divisiones y subdivisiones que lo engarzan por un lado con la pequeña burguesía, con restos del antiguo artesanado, con el grupo de servicios y, simplemente, con la miseria urbana. Son gentes en su mayoría desclasadas. Pero una figura reclama especial atención entre los numerosos habitantes de Mira el Río, 12: el analfabeto José Izquierdo, tío de Fortunata, hermano de Segunda Izquierdo, «viuda» de un picador de toros y propietaria de la famosa pollería de la Cava Baja, todo lo cual, dicho sea de paso, asegura la pertenencia de Fortunata al *cuarto estado* (48). La ironía galdosiana al llamar «Izquierdo» a su personaje es patente:

> «es un inútil viejo pícaro y borracho que pretende haber participado en todos los movimientos "revolucionarios" de la segunda mitad del siglo XIX en España» (49).

Según sus declaraciones, Izquierdo participó en el motín revolucionario de 1854 que llevó al poder a la Unión Liberal; en la sublevación popular de 1856; en la del cuartel de San Gil de 1866; en la de 1868; en la revolución anarquista de Alcoy en 1873..., pero

---

(48) Cf. Blanco Aguinaga, art. cit., p. 18.
(49) Blanco Aguinaga, art. cit., loc. cit.

también en las partidas carlistas de Levante de ese mismo año y en el cantón de Cartagena (pp. 193-196):

> y yo digo que es menester acantonar a Madriz, pegarle fuego a las Cortes, al Palacio Real y a los judíos Ministerios, al Monte de Piedad, al cuartel de la Guardia Civil y al Dipósito de Aguas, y luego hacer un racimo de horca con Castelar, Pi, Figueras, Martos, Bicerra y los demás, por moderaos, por moderaos... (página 196).

Galdós, como narrador, rectifica la autobiografía de Izquierdo, señalando que «la mayor parte de sus empresas políticas eran soñadas... para completar su retrato, sépase que no había estado en Cartagena... Lo de la partida de Callosa sí parece cierto» (página 197). Detalle final: José Izquierdo terminó, simbólicamente, sirviendo de modelo para los pintores de asunto histórico que proliferaron después de la Restauración (p. 199). Indica Blanco Aguinaga que si bien el feroz *petrolero* se alía con la clase dominante para sobrevivir sin trabajar y no puede ni compararse con los obreros españoles de la Internacional contemporáneos suyos,

> «a un nivel primario nos revela la existencia de una conciencia de clase, la conciencia de que la clase a que Fortunata pertenece se estaba desarrollando en España contra la burguesía, precisamente en la época de nuestra novela» (50).

---

(50) *Ibid.*, p. 18.

Mas no parece ser así; no parece que Izquierdo pueda representar el más mínimo nivel de conciencia de clase. Por el contrario, Izquierdo —a quien, por otro lado, Blanco Aguinaga califica de *crook* (loc. cit.)— entra de lleno y por derecho propio en lo que en la terminología marxista se denomina *Lumpenproletariat*, el elemento desclasado sin ideología alguna que suele formar parte, en momentos de crisis, de las fuerzas de choque de la reacción y del fascismo (51). Resulta de mucho interés comparar —en sus diferentes niveles— el papel que en *Fortunata y Jacinta* representan Estupiñá e Izquierdo. Ambos son productos desplazados y desclasados de la revolución burguesa, con diferentes funciones y siempre al servicio de la clase dominante de una u otra forma. Los dos tipifican perfectamente lo dicho por León Trotsky:

> si los resquebrajamientos y los vacíos de la sociedad burguesa se llenan en España con elementos desclasados de las clases dominantes, los numerosos buscadores de posición y de ingresos, que se encuentran en el fondo, en las hendiduras de la base, son los abundantes lumpenproletarios, elementos desclasados de las clases trabajadoras. Holgazanes de etiqueta o en harapos forman las arenas movedizas de la

---

(51) Cf. *Manifiesto Comunista*, I, p. 47, ed. cit.: «En cuanto al populacho (*Lumpenproletariat*), esa masa inactiva y viciosa que constituye la última capa de la sociedad, alguna vez, y en críticos momentos toma parte en la revolución proletaria. Pero, esto no obstante, su género de vida la predispone de ordinario a dejarse comprar por la mano y en interés de los reaccionarios.»

sociedad, son más peligrosos para la revolución en cuanto ésta menos encuentra una base auténtica de apoyo y una dirección política (52).

Fortunata y Jacinta es, naturalmente, una novela madrileña y urbana (52 bis). Por ello, el campesinado no aparece con papel alguno, excepto esporádicas referencias a los orígenes provincianos de los burgueses de la capital. La única mención directa de los campesinos aparece también en el mismo lugar que la relativa al proletariado industrial, es decir, durante el viaje de novios de Juanito y Jacinta. Aparte de algún elemento realista de escasa significación («las estaciones encharcadas, los empleados calados y los campesinos que venían a tomar el tren con un saco por la cabeza», p. 87) y de la descripción del campo valenciano y castellano (páginas 92-93; 95-96), lo importante aparece como consecuencia de la retórica vulgarmente patriotera de Juanito, quien ante la vista del Mediterráneo hace un paseo histórico desde las colonias fenicias, Grecia y las barras de Aragón, hasta Cervantes y el inevitable Lepanto (p. 89). Es otra vez Jacinta quien comenta inteligentemente:

Y la gente que vive aquí, ¿será feliz o será tan desgraciada como los aldeanos de tierra adentro, que nunca han tenido que ver con el

---

(52) *Op. cit.*, pp. 72-73. Sobre Izquierdo, cf. en *Fortunata y Jacinta*, pp. 85-86, 192-199, 204-210, 919, 924.

(52 bis) Cf. Olga Kattan, «Madrid en *Fortunata y Jacinta* y en *La lucha por la vida*: dos posturas», *CHA*, núms. 250-252 (octubre 1970-enero 1971), pp. 546-578.

Gran Turco ni con la capitana de don Juan de Austria? Porque los de aquí no apreciarán que viven en un paraíso, y el pobre, tan pobre es en Grecia como en Getafe (p. 90).

La contraposición entre la parrafada de Juanito, tomada de un manual oficial de Historia, y el grave y ajustado pensamiento de su mujer sirve, precisamente, para poner de manifiesto algo que Galdós ha de desarrollar de modo coherente tiempo después, algo que señala ya sus conexiones con el 98: el concepto de *intrahistoria* (53).

Lo cual nos lleva como de la mano a otro tema de especial significación en *Fortunata y Jacinta*. Galdós ha hablado de las diferentes clases sociales, pero toda la novela está llena de referencias a algo impreciso y difuso, al *pueblo*, identificado, en todo caso, con el *cuarto estado* (54). Aquí conviene distinguir de modo claro entre las opiniones expresadas directamente por el autor-narrador y las manifestadas por los personajes, si bien en ocasiones unas y otras coinciden. Dejo aparte, como es natu-

---

(53) Sobre lo intrahistórico en Galdós y el tema campesino, cf. cap. III de este mismo libro y la bibliografía allí mencionada.

(54) En 1912, Galdós ha modificado sustancialmente su idea de *pueblo*, pues incluye no sólo a «la muchedumbre de chaqueta y alpargata», sino también «a los míseros de levita y chistera, legión incontable que se extiende desde los bajos confines del pueblo hasta los altos linderos de la aristocracia» (*Cánovas*, *OC*, III; Madrid, 1963, 1288). En otro lugar habla Galdós de *pueblo* como *nación* (*El 19 de marzo y el 2 de mayo, OC*, I, Madrid, 1963, 449). Cf., por otra parte, Albert Dérozier, «El "pueblo" de Pérez Galdós en *La Fontana de Oro*», *CHA*, núms. 250-252 (octubre 1970-enero 1971), 285-311.

ral, lo relativo a la miseria y pobreza del pueblo, sobre lo cual ya se ha dicho algo más arriba. Según el narrador, se trata, para empezar, de un pueblo inculto, coincidiendo en tal opinión con Jacinta (página 80) y Guillermina (p. 137). Fortunata, en efecto, es analfabeta (p. 80); pero, además, su ignorancia es total:

> No sabía lo que es el Norte y el Sur. Esto le sonaba a cosa de viento, pero nada más. Creía que un senador es algo del Ayuntamiento... No había leído jamás libro ninguno, ni siquiera novela. Pensaba que Europa es un pueblo y que Inglaterra es un país de acreedores... Confesó un día que no sabía quién fue Colón. Creía que era un general, así como O'Donnell o Prim... Comprendía a la Virgen, a Jesucristo y a San Pedro; los tenía por buenas personas, pero nada más... (pp. 319-320) (55).

Correlatos de la miseria y de la ignorancia son la suciedad (narrador, p. 10; Jacinta, p. 85) y el alcoholismo (narrador, 174-175, por ejemplo), así como la brutalidad y la rudeza (narrador, 723, 979; Juanito, 80; Guillermina, 137). Trata también Galdós de las modalidades del habla popular:

---

(55) En una entrevista publicada en 1901 por el periódico francés *Le Siècle*, Galdós explicaba claramente el problema: al obrero español, que es sobrio e inteligente, «lui manque surtout l'instruction. L'instruction lui donnera tout... L'oeuvre scolaire, ce sera le baptême de la nouvelle vie» (*apud* Josette Banquat, «Au temps d'*Electra*», *BH*, LXVIII, 1966, 308). Sobre la importancia concedida por Galdós a la educación en la regeneración de España, cf. cap. III del presente libro y la bibliografía allí manejada.

... murmullo de conversaciones dejosas, arrastrando toscamente las sílabas finales. Este modo de hablar de la tierra ha nacido en Madrid de una mixtura entre el dejo andaluz, puesto en moda por los soldados, y el dejo aragonés, que se asimilan todos los que quieren darse aires varoniles (p. 180; cf. también páginas 76-77, 320).

Pero Galdós piensa que el pueblo tiene un sentido estético innato, como se demuestra en su uso del mantón y del pañuelo de Manila (pp. 24, 39) y de los colores vivos: mientras «la sociedad española empezaba a presumir de *seria; es decir, a vestirse lúgubremente, y el alegre imperio de los colorines se derrumbaba de un modo indudable», el pueblo quedaba como «último y fiel adepto de los matices vivos» (p. 39; cf. también p. 174). A otro nivel, cuando Guillermina y Jacinta —ésta con *polisón*— visitan la casa de Mira el Río, tienen que escuchar pullas como la siguiente: «Señá Martina, ¿ha visto que nos hemos traído el sofá en la rabadilla?» (p. 178), lo que provoca el comentario de *la rata eclesiástica:* «No puedes figurarte el odio que esta gente tiene a los polisones, en lo cual demuestran un sentido... ¿cómo se dice?, un sentido *estético* superior» (páginas 178-179). La música del organillo, en fin, es la que conmueve a Fortunata, no la música *fina* (página 902).

La falta de identificación del pueblo con el Estado la pone de manifiesto Galdós por medio de la actitud ante la Hacienda:

la moral del pueblo se rebelaba, más entonces que ahora, a considerar las defraudaciones a la Hacienda como verdaderos pecados. ... lo que la Hacienda llama suyo no es suyo, sino de la nación, es decir, de Juan Particular... Esta idea, sustentada por el pueblo con turbulenta fe, ha tenido también sus héroes y sus mártires (p. 55).

La gente del pueblo, en fin, se siente avergonzada en presencia de personas de la clase «superior» (página 759) (56). Por otra parte, para Juanito, el pueblo es también inocente (p. 99), sano (80) y expeditivo (82), y sus mujeres tienen honor (99), pero al propio tiempo piensa, contradictoriamente, que es amoral (85) y que no tiene dignidad (80).

Pero lo más significativo es aquello en que coinciden narrador y tres personajes: Juanito, Villalonga y Guillermina Pacheco, lo que indica obviamente que se trata de una idea arraigada en Galdós y en verdad fundamental:

el pueblo, en nuestras sociedades, conserva las ideas y los sentimientos elementales en su tosca plenitud, como la cantera contiene el már-

---

(56) Acerca del pueblo andaluz, que sin duda Galdós no conocía como al madrileño, escribe una serie de tópicos convencionales: «aquel originalísimo pueblo, artista nato, poeta que parece pintar lo que habla, y que recibió del Cielo el don de una filosofía muy socorrida, que consiste en tomar todas las cosas por el lado humorístico, y así la vida, una vez convertida en broma, se hace más llevadera...» (p. 96). Sobre la supervivencia de estos y otros tópicos en tiempos más recientes, cf. José Ortega y Gasset, *Teoría de Andalucía* (Madrid, 1942).

mol, materia de la forma. El pueblo posee las verdades grandes y en bloque, y a él acude la civilización conforme se le van gastando las menudas de que vive (p. 766).

Y Juanito:

[el pueblo es] lo esencial de la Humanidad, la materia prima, porque cuando la civilización deja perder los grandes sentimientos, las ideas matrices, hay que ir a buscarlas al bloque, a la cantera del pueblo (p. 518; cf. también 520; Villalonga, 276; Guillermina, 766).

¿Populismo? Evidente, y también mitificación por parte de Galdós, sin duda bien intencionada. Nótese que prácticamente todo lo dicho acerca del *pueblo* aparece como referencia a Fortunata misma, representante así, simbólicamente, de los valores populares, de esa cantera de bloques sin labrar que constituye, a lo que parece, el fondo básico de la nación española. Fortunata, como representante del pueblo, de su elementalidad y vitalidad, como representante incluso de la Naturaleza, en obvio contraste dialéctico con Jacinta, representante de la burguesía y del convencionalismo social, de lo artificial. Pero conviene señalar que aquí intervienen dos factores diferentes, Galdós y Juanito, y que ambos, de modo distinto, están llevando a cabo una evidente tarea de mitificación, que peligrosamente, se transmite hasta nosotros mismos, los lectores. Cuando Carlos Blanco Aguinaga habla en su tantas veces citado e importante artículo de «nuestra ignorante, bella, impotente y desafortunada Fortunata» (p. 22), está haciendo, precisamente, lo que tantos otros hemos hecho: caer en la trampa de una Fortunata mitificada por Galdós, que nos la presenta como una mujer ideal, no muy diferente, en tantos aspectos, a la Rosario creada por Alejo Carpentier en *Los pasos perdidos* (57). Un breve momento de la novela basta para revelarnos de qué modo el propio Galdós —sin duda basándose en otra «Fortunata» por él conocida— se siente fascinado por su atractiva criatura. Maximiliano quiere «educar» a Fortunata (de igual modo que quiere «redimirla», doble empresa en que ha de fracasar), e intenta corregir sus defectos de pronunciación, pero

las *eses* finales se le convertían en *jotas*, sin que ella misma lo notase ni evitarlo pudiera, y se comía muchas sílabas. *Si supiera ella qué bonita boca se le ponía al comérselas, no intentara enmendar su graciosa incorrección* (página 320).

Al lado de esta mitificación del propio Galdós figura la de Juanito, atraído, como mil veces declara, por la frescura, la ingenuidad y la rotundidad física de las hijas del pueblo: «un *señorito* (sólo

---

(57) *Los pasos perdidos* (Barcelona, 1971), pp. 100-101, 149-151, por ejemplo. No es la única semejanza de *Fortunata y Jacinta* con algunos aspectos del novelista cubano; cf., como muestra, la niñez de Barbarita entre las maravillas de *La tienda de Filipinas* (capítulo I de la Primera Parte) y el almacén del padre de Sofía en *El siglo de las luces* (México, 1969), pp. 23-29.

medio en broma llamado Delfín) que competiría con sus aristocráticos contrincantes en su inutilidad y en su amor al ocio y a las mujeres del pueblo» (58). La actitud de Juanito al conocer a Fortunata revela bien a las claras la sorpresa del burgués ante la existencia del *cuarto estado*, como dice Blanco Aguinaga, «a pleasant surprise still in 1886 if the person appearing was a female» (59). Mas no cabe mitificación posible, por muy tentadora que ésta resulte para nosotros en el presente caso, como también lo fue para Galdós, por no decir para Juanito. Pues lo que una lectura atenta de *Fortunata y Jacinta* nos ofrece precisa y escuetamente es la existencia de una burguesía avasalladora, que gracias a su omnímodo poder controla *todo* el mundo social de la época. *Del rey abajo ninguno* —recordando el título de la vieja comedia del Siglo de Oro— escapa a ese control, ni siquiera el hijo de Fortunata y de Juanito, entregado finalmente a Jacinta, y en el que ya no podemos ver —otra tentación— la síntesis optimista del conflicto dialéctico Fortunata/Jacinta, Naturaleza/Sociedad, Pueblo/Burguesía (60).

Al llegar aquí se hace preciso recordar algo de capital importancia. En 1886 —*Fortunata y Jacinta* se escribe en 1886-87— Galdós consigue un acta de diputado sagastino por Guayama, Puerto Rico, gracias a los habituales método caciquiles. Galdós no

---

(58) Blanco Aguinaga, art. cit., p. 15.
(59) *Ibid.*, p. 23, nota 8.
(60) Que *Fortunata y Jacinta* es una novela dialéctica resulta evidente, desde el mero título. Es tema que precisa un estudio aparte y cuidadoso. Pero el proceso dialéctico es incompleto, por falta de la apropiada síntesis final.

oculta su escepticismo (61), hecho que coincide con lo que escribe en el mismo año:

No creo, pues, en revoluciones próximas... Unicamente la revolución social, si tuviera en España elementos preparados para ella, podría encontrar lema y bandera... Pero las cuestiones sociales no han removido bastante la opinión en nuestro país, ni nuestros talleres son de tal importancia y magnitud que suministran al socialismo contingente bastante para luchar con los poderes públicos... (62).

Si en 1886 Galdós podía ver así, con auténtico realismo, la situación del país, y la imposibilidad de una próxima revolución social, es decir, la imposibilidad de derrocar a la oligarquía, con más razón podía llevar a la época de *Fortunata y Jacinta* —cuya acción termina ya instalado y afianzado el trono de Alfonso XII, no se olvide— la misma creencia. Los burgueses de 1873 podían sentirse op-

(61) Galdós se justifica así en carta a Narciso Oller: «He ido al Congreso porque me llevaron, y no me resistí a ello porque deseaba ha tiempo vivamente conocer de cerca la vida política. Ya dentro del Congreso, cada día me alegro de haber ido, porque, sin mezclarme en nada que sea política activa, voy comprendiendo que es imposible en absoluto conocer la vida nacional sin haber pasado por aquella casa. ¡Lo que allí se aprende! ¡Lo que allí se ve! ¡Qué escuela!» (*apud* William H. Shoemaker, *Estudios sobre Galdós*, Valencia, 1970, p. 205).

(62) «Un rey póstumo» (22-V-1886), en *Política española, Obras Inéditas*, III (Madrid, 1923), 144-145; cf. Regalado García, *op. cit.*, p. 237, y Goldman, art. cit., p. 115. En 1888 insiste Galdós en la escasa industrialización del país y en el menguado número de proletarios.

timistas y no temer a la República (pp. 140, 142), incluso confiar en que

> no pasará nada, pero nada. Aquí no se tiene idea de lo que es el pueblo español... Yo respondo de él; me atrevo a responder con la cabeza, vaya... (p. 143).

Y, en efecto, ni el teniente de alcalde Aparisi —suyas son las anteriores palabras— perdió su cabeza con la efímera República ni tampoco sus amigos. Fueron ellos, por el contrario, con el Ejército y la Guardia Civil a su servicio, quienes aniquilaron la República cuando lo creyeron oportuno y necesario, no antes. Ya en 1878 escribe Galdós con desesperanza algo totalmente aplicable al mundo de *Fortunata y Jacinta:* campesinos y obreros, *cuarto estado,* todos,

> se pierden en los desiertos sociales...; en lo más oscuro de las poblaciones, en lo más solitario de los campos, en las minas, en los talleres (63).

Es cierto que en *Fortunata y Jacinta* se habla de «lecturas prudhonianas» (pp. 936-937), de las desigualdades sociales, de que «falta equilibrio y el mundo parece que se cae» (p. 137). Pero ese mundo no cayó, en España, hasta mucho después —y, además, para levantarse de nuevo—, y el supuesto lector de Prudhon, Juan Pablo Rubín, terminó, como

---

(63) *Marianela, OC,* IV (Madrid, 1964), 750.

sabemos, asimilado por la Restauración. La burguesía, digámoslo otra vez, controla *todo*, desde el Rey
a José Izquierdo. No ha creado todavía las condiciones necesarias para transformar en proletariado
a todos aquellos que desplaza y desclasa. La propia
Fortunata —sí, *nuestra* hermosa, ignorante, desgraciada y querida Fortunata— es destruida por la
burguesía, tras una previa y siniestra utilización y
cosificación; seducida, corrompida por Juanito;
prostituida, en fin (64). Y su hijo mismo es también
asimilado:

> Aquel pequeñuelo que iba a presentarse en
> el mundo era, por ley de la Naturaleza, sucesor
> de los Santa Cruz, único heredero directo de
> poderosa y acaudalada familia. Verdad que por
> la ley escrita el tal nene era un Rubín, pero la
> fuerza de la sangre y las circunstancias habían
> de sobreponerse a las ficciones de la ley... (pá-
> gina 943; cf. también pp. 979, 1012, 1013).

De esta manera, lejos de ser el niño representación simbólica de una síntesis armónica, no es sino
ejemplificación final del control de la burguesía sobre *el presente* y también sobre *el futuro* de altos y
bajos.

Fortunata y Jacinta podría considerarse como el

---

(64) Cf. *Manifiesto Comunista*, II, p. 53, ed. cit.: «En cuanto
a nuestros burgueses, no contentos con tener a su disposición
las mujeres e hijas de sus proletarios y una prostitución oficial, sienten una satisfacción incomparable seduciendo las que
han dado en llamar mujeres ajenas. En realidad, el matrimonio
burgués es la comunidad de las mujeres casadas.»

punto de partida de una nueva etapa de Galdós, la de su radicalización política, largo proceso que, comenzado con una prehistoria típica de radicalismo burgués —*Doña Perfecta* como paradigma—, culminará en su aproximación a Pablo Iglesias y al socialismo en los últimos años de su vida, siguiendo así, exactamente, el paso y el ritmo de la Historia de la España moderna (65).

---

(65) Sobre este proceso, y en particular sobre su última etapa, cf. cap. III de este mismo libro, y el sugerente artículo de Víctor Fuentes, «El desarrollo de la problemática político-social en la novelística de Galdós», *PSA,* núm. 192 (marzo 1972), páginas 229-240. Geoffrey Ribbans ha estudiado *Fortunata y Jacinta* («Contemporary History in the Structure and Characterization of *Fortunata y Jacinta*», en *Galdós Studies,* ed. J. E. Varey; Londres, 1970, pp. 90-113), con propósitos bien diferentes al mío: «not the political outlook Galdós reveals, but its integration within the structure of the novel» (p. 112).

II

«FORTUNATA Y JACINTA»: CERVANTES, GALDOS Y LA «DOCTRINA DEL ERROR»

Es un lugar común entre los críticos que tratan de la novelística de Galdós el afirmar que el autor de *Fortunata y Jacinta* debe parcelas importantes de su arte narrativo a la influencia de Cervantes. En este sentido, es típico lo dicho, por ejemplo, por José F. Montesinos:

> Galdós se hizo en la lectura del *Quijote*. Es increíble lo que llegó a deber a Cervantes...; si se me permite la expresión, diré que Cervantes «le ha hecho a Galdós los ojos».

La raigambre cervantina del arte de Galdós es patente (1). Afirmaciones tan rotundas y sin duda co-

_____

(1) Respectivamente en *Galdós*, I (Madrid, 1968), XVII-XVIII, y II (Madrid, 1969), XI. Cf. también Vicente Lloréns, «Galdós y la burguesía», *AG*, III (1968), 53, y Américo Castro, *Cervantes y los casticismos españoles* (Madrid, 1974, 2.ª), pp. 17 y 140. Sobre un tema concreto, las raíces cervantinas de la locura de Ido del Sagrario, en *Fortunata y Jacinta*, cf. Paul C. Smith, «Cervantes and Galdós: The Duques and Ido del Sagrario», *RM*, VIII (1966), 1-4. Hay incluso la inevitable tesis doctoral norteamericana inédita: *Cervantine Aspects of the Novelistic Art of Benito Pérez Galdós* (Universidad de California, Berkeley, 1957), de Betty Jean Zeidner. Véase, como mera curiosidad, lo

rrectas, precisan de algún estudio más detenido; me limito aquí a tratar de ciertos elementos estructurales de *Fortunata y Jacinta* que, evidentemente, proceden de algunas fundamentales ideas y conceptos de Cervantes (2).

Américo Castro, al estudiar brillantemente la ideología cervantina, mostró con acuidad una de sus bases renacentistas y humanistas: su concepto de la Naturaleza y de las relaciones del ser humano con la misma (3). El origen del cual es claramente neoplatónico, articulado en los famosos *Diálogos de Amor*, de León Ebreo (4), pero

sólo en una época cuyos intereses intelectuales estaban dominados por el afán de conocer el *mundo*, pudo el neoplatonismo verificar por completo ese giro hacia el naturalismo... el es-

---

escrito por Galdós sobre Cervantes, publicado por Peter B. Goldman en *AG*, VI (1917), 99-111: «Galdós and Cervantes: Two Articles and a Fragment». Cf., además, la bibliografía incluida en nota núm. 11, cap. III de este mismo libro.

(2) Hago una simple enumeración de otros temas y técnicas cervantinas presentes en *Fortunata y Jacinta* (todas las citas y referencias según la edic. de Madrid, Hernando, 1968): la ironía del narrador, utilizada conscientemente a lo largo de toda la obra; la locura y su «despertar» en Maxi, semejante en esto a don Quijote; la locura de Ido del Sagrario, ya mencionada; referencias directas al *Quijote* (pp. 593, 939) y frases sueltas tomadas de la misma novela (pp. 386, 395, 608); recuerdos elaborados de lecturas del *Quijote* (pp. 190, 320, 464, 488, 589, 711, 797, 929, 940, 1031); recuerdos de *El celoso extremeño* (p. 504) y de *El licenciado Vidriera* (p. 988)... Esta lista no es exhaustiva.

(3) Cf. Castro, *El pensamiento de Cervantes* (Barcelona, 1972; edición y nuevas notas de Julio Rodríguez-Puértolas), pp. 159-173.

(4) Erasmo no anda muy lejos de todo esto; cf. Castro, *op. cit.*, p. 170.

píritu del Renacimiento fue quien desató, aquí también, las tendencias hasta entonces germinantes (5).

Es obvio que dicha contradicción no es sino reflejo, por otro lado, de esa otra más amplia planteada por la lucha de la nueva clase burguesa en unos contextos dominados todavía en buena parte por la aristocracia tradicional. La Naturaleza aparece aquí como inmanente y autosuficiente, además de todopoderosa, coherente y organizada, contra la cual es inútil luchar:

No he podido yo contravenir al orden de Naturaleza, dice Cervantes en el prólogo a la Primera Parte del *Quijote*. O, como explica Américo Castro: la Naturaleza

> ha formado los seres, poniendo en ellos virtudes o defectos, que imprimen en cada individuo huellas imborrables y determinadoras de su carácter, cuya realización será el tema de la vida de cada cual... Cada uno ha de conocerse a sí mismo, y no intentar romper su sino natural, su inmanente finalidad (6).

Por otro lado, y como señalaba el humanista Nicolás de Cusa,

---

(5) R. Honigswald, *Giordano Bruno* (Madrid, 1925), p. 80; cf. también Ernst Cassirer, *Individuum und Kosmos in der Philosophie der Renaissance* (Leipzig-Berlín, 1972), pp. 56-58.
(6) *Op. cit.*, p. 169.

el mundo no debe seguir siendo un jeroglífico divino, un signo santo, sino que necesita ese signo una sistemática interpretación (7).

El pensamiento marxista tampoco es ajeno a esta concepción de la Naturaleza. Se trata, para empezar, de que

el hombre es una parte específica de la naturaleza y por tanto no puede ser identificado con algo abstractamente espiritual (8).

No comprender tal hecho, como no comprender el mecanismo de las leyes de la Naturaleza, conduce a la alienación por una parte, al fracaso y a la destrucción por otra, y esto tanto en los esquemas cervantinos como en los galdosianos y en los marxistas. Mas no adelantemos los hechos.

Veamos ahora cómo ideas semejantes a las anotadas aparecen en *Fortunata y Jacinta.* En efecto, la Naturaleza es todopoderosa:

Por encima de todo la Naturaleza (Juan Pablo Rubín, p. 574).

Cuando lo natural habla, los hombres tienen que callar la boca (Fortunata, p. 914).

Contra la Naturaleza no se puede protestar (Maxi, página 961)... Y es una Naturaleza también inma-

---

(7) *Apud* Cassirer, *op. cit.,* p. 57.
(8) István Mészáros, *Marx's Theory of Alienation* (Nueva York-Londres, 1972), p. 163.

nente, que tiene sus propias leyes y que funciona
mecánica y avasalladoramente:

> pensaba en las causas que ordenan el Univer-
> so e imprimen al mundo físico como al mun-
> do moral movimiento solemne, regular y ma-
> temático. «Todo lo que debe pasar, pasa —de-
> cía—, y todo lo que debe ser, es» (Maxi, pági-
> na 419) (9).

La atracción sexual, la formación de parejas repro-
ductoras, es quizá la primera de las leyes natura-
les: Juanita y Jacinto se casan:

> aquella gran ley de la Naturaleza que estaban
> cumpliendo (p. 72);

su consecuencia son los hijos (cf. pp. 762, 768,
845, 943, 956, 958). Lo mismo había dicho Bernar-
dino Telesio, contemporáneo de Cervantes:

> El hombre, como las demás cosas de la Na-
> turaleza, tiende a perseverar en su propio ser,
> no habiendo metas extrínsecas a ese proceso
> natural (10).

O Juan de Mal Lara, en su *Filosofía vulgar*:

> La Naturaleza es amiga de conservarse en
> gran manera: y ya que no puede ser inmor-

---

(9) Cf. también pp. 517 (Fortunata), 540 (Fortunata), 681
(narrador), 688 (Fortunata).
(10) *Apud* Casstro, *op. cit.*, p. 164.

3

tal, procura por generación restaurar la pérdida que la muerte hace (11).

Mas conviene hacer constar que Galdós, tan atento siempre a las ideas filosóficas y literarias de su época, se hace también eco en *Fortunata y Jacinta* de un evidente fondo hegeliano, a vueltas de unas obvias ironías, por otra parte:

> —En verdad os digo que no hay Infierno ni Cielo, ni tampoco alma..., ni nada más que la naturaleza que nos rodea, inmensa, eterna, animada por la fuerza...
> —... La fuerza, el alma..., la... como quien dice, la idea.
> —Doña Nieves, por amor de Dios —dijo Rubín con desesperación de maestro—. Que se me está usted volviendo muy *hegeliana*...; el hombre no puede reconocer como real nada que no esté en la Naturaleza sensible (p. 576).

Precisamente, algunos años antes de que Galdós escribiese *Fortunata y Jacinta*, en 1872, aparecieron dos libros hegelianos que sin duda Galdós conoció, la *Filosofía del Derecho, o estudio fundamental del mismo según la doctrina de Hegel*, de Antonio Benítez de Lugo, y la introducción a la traducción de la *Lógica*, de Antonio Fabié y Escudero; antes, en 1851, Miguel López Martínez publicaba su *Ar-

---

(11) *Apud* Castro, *ibid.*, p. 171.

monía del mundo racional en sus tres fases: *la Humanidad, la Sociedad y la Civilización* (12). De acuerdo con las teorías renacentistas, aceptadas por Cervantes, el elemento vital y animador del orden cósmico, de la Naturaleza, no es otro que el Amor. Los ideólogos del Humanismo, si bien recogen elementos ya presentes en las teorías medievales del Amor Cortés, las actualizan de acuerdo con las nuevas circunstancias sociales (13), y es otra vez León Ebreo quien articula las ideas al respecto en su obra ya citada; así, el Amor es fuerza tan poderosa como la Naturaleza misma, y tanto que ambas son inseparables. Tres puntos centrales acepta Cervantes: que el Amor es, como dice Américo Castro, «la máxima esencia vital» (14); que el Amor es todopoderoso también; que el Amor es y debe ser libre, «tesis de combate» cervantina (15); en efecto, en *La guarda cuidadosa*, dice Cervantes, reduciendo su pensamiento a un nivel expresivo elemental: «el comer y el casar han de ser a gusto propio» (16). Los tres puntos citados —y algunos más— aparecen en *Fortunata y Jacinta* de forma harto relevante. El Amor «es la ley de las leyes» y «gobierna el mundo» (cf. pp. 340, 606,

(12) Cf. Manuel Pizán, *Los hegelianos en España y otras notas críticas* (Madrid, 1973), pp. 13-33. Cf. también nota 31 del capítulo III del presente libro.
(13) Cf. Julio Rodríguez-Puértolas, Carlos Blanco Aguinaga e Iris M. Zavala, *Historia social de la literatura española*, de próxima publicación por la Editorial Castalia.
(14) *Op. cit.*, p. 123.
(15) Castro, *op. cit.*, loc. cit.: «ni un solo momento olvida Cervantes ese dogma del amor libremente correspondido» (*ibid.*, página 131).
(16) *Apud* Castro, *op. cit.*, p. 134.

840); éste «no vale nada sino por el amor» (página 736). La libertad es la regla de oro: «al amor no se le dictan leyes» (p. 965); por ello, el matrimonio entre Maximiliano Rubín y Fortunata ha sido un absurdo completo, reconocido como tal, *a posteriori,* por los dos (pp. 746, 871, 961). Y así, Fortunata exclama de modo arrogante, dirigiéndose a su amante, Juanito Santa Cruz:

> «mi marido eres tú...; todo lo demás... ¡papas!»
> (p. 518: cf. también 761) (17).

Pues lo que ocurre, a fin de cuentas, es que «el cariño no depende de la voluntad, ni menos de la razón» (Fortunata, p. 326); por lo mismo, los desesperados intentos que Maxi hace por racionalizar su problema y conseguir el amor de Fortunata no conducen a nada positivo:

> Indagaba con febril examen las causas recónditas del agradar, y no pudiendo conseguir cosa de provecho en el terreno físico, escudriñaba el mundo moral para pedirle su remedio. Imaginó enamorar a su esposa por medios espirituales... (p. 524) (18).

---

(17) La situación recuerda 'de inmediato lo que dice Melibea —otra extraordinaria mujer de nuestra literatura—: «más vale ser buena amiga que mala casada... No quiero marido... ni quiero marido ni quiero padre ni parientes» (*Celestina,* acto XVI). Cf. Julio Rodríguez-Puértolas, cap. IV de *Literatura y alienación,* en curso de publicación por la Editorial Labor.

(18) Que Maxi utilice no el verbo *querer,* sino el más literario y falso de *amar,* es bien revelador: «hallaba pálida e inexpresiva la palabra *querer,* teniendo que recurrir a las novelas

Por otro lado, el verdadero amor está más allá de toda noción de moral y de pecado convencionales: Fortunata creía que «nada que se relacionase con el amor era pecado» (p. 320):

> Lo que Fortunata había pensado era que el amor salva todas las irregularidades; mejor dicho, que el amor lo hace todo regular, que rectifica las leyes, derogando las que se le oponen (página 606).

Y lo mismo el viejo amante de Fortunata, don Evaristo Feijóo:

> porque no me entra ni me ha entrado nunca en la cabeza que sea pecado, ni delito, ni siquiera falta, ningún hecho derivado del amor verdadero (p. 627).

¿Qué es, pues, a fin de cuentas, el Amor? Galdós lo dice cervantinamente:

> El amor es la reclamación de la especie que quiere perpetuarse, y al estímulo de esta necesidad tan conservadora como el comer, los sexos se buscan y las uniones se verifican por elección fatal, superior y extraña a todos los artificios de la sociedad... Todo lo demás es música, fatuidad y palabrería de los que han

y a la poesía en busca del verbo *amar,* tan usado en los ejercicios gramaticales como olvidado en el lenguaje corriente» (p. 318).

querido hacer una sociedad en sus gabinetes, fuera de las bases inmortales de la Naturaleza (Feijóo, p. 638).

Vemos así cómo Amor y Naturaleza se identifican a un nivel totalmente materialista e inmanente. Ideas todas que, sin duda, chocan directa y frontalmente con los conceptos habituales e hipócritas de la sociedad burguesa de la Restauración, época en que Galdós escribe su *Fortunata y Jacinta* (19).

De acuerdo con las concepciones neoplatónicas ya mencionadas, el cosmos es un todo armónico del cual participa el ser humano y cuyo principio tan vital como estructurador es —ya lo vimos— el Amor; la Naturaleza «ha hecho del Amor un principio armónico *per se*» (20). Pues, como decía León Ebreo,

todo el universo es un individuo..., tanto el todo y las partes son perfectas y felices, cuando rectamente y enteramente consiguen los oficios a que son enderezados por el sumo Opífice. El fin de todo es la unida perfección de todo el universo (21).

De nuevo y para Cervantes, la suprema sabiduría consiste en lograr la apropiada adecuación entre

(19) Cf. cap. I de este mismo libro. No se olvide que varias de estas ideas galdosianas aparecen en otras novelas, *Tristana*, por ejemplo, pero nunca articuladas de modo tan coherente como en la aquí estudiada.
(20) Castro, *op. cit.*, p. 123.
(21) *Apud* Castro, *ibid.*, p. 155.

individuo y cosmos, es decir, en la participación
en la armonía universal:

> El discreto es concordancia
> que engendra la habilidad;
> el necio, disparidad
> que no hace consonancia (22).

Ideas semejantes reaparecen en *Fortunata y Jacinta;* así, la armonía universal (cf., por ejemplo, páginas, 266, 419, 574) (23), pero también el papel del hombre en el conjunto; un personaje le dice a otro, con reconvención:

> ¿Quieres romper de un golpe la armonía del mundo espiritual con el mundo físico? (página 844).

Y Galdós añade algo más, de acuerdo con su concepción providencialista e historicista:

> Dios, realizando la justicia por medio de los sucesos, lógicamente, es el espectáculo más admirable que pueden ofrecer el mundo y la Historia (p. 990).

---

(22) Cervantes, *La entretenida*, *OC* (Madrid, 1962, 12.ª), p. 462.
(23) Cf. Gustavo Correa, «Galdós y el platonismo», *AG*, VII (1972), 7: «La concepción de una armonía integradora del universo que abarque tanto el mundo de la realidad objetiva como el del espíritu va a ser más perceptible en novelas posteriores. A partir de *Fortunata y Jacinta* (1886-1887), Galdós incorpora cada vez a su visión de la realidad los hechos de la conciencia individual y colectiva.»

Todo, en efecto, forma parte del Todo; cada elemento de la realidad tiene una función en esa Armonía cósmica:

> que se desprendiese una hoja del tallo ya marchito de una planta, cayendo sin ruido sobre la alfombra; que cantase el canario del vecino, o que pasara un coche cualquiera por la calle haciendo mucho ruido (p. 625).

> Se desprendió de la humanidad; cayó del gran árbol la hoja completamente seca, sólo sostenida por fibras imperceptibles. El árbol no sintió nada en sus inmensas ramas. Por aquí y por allí caían en el mismo instante hojas y más hojas inútiles, pero la mañana próxima había de alumbrar innumerables pimpollos frescos y nuevos (p. 872).

De nuevo, el hegelianismo no está muy lejos tampoco de conceptos tales, si bien, como ya fue señalado, envuelto tras una típica ironía galdosiana, en una discusión entre Maxi y su hermano Juan Pablo:

> ... y volvemos a la misma Historia, al Dios uno y creador y al alma que de El emana... Si yo me reconozco íntimamente en la sustancia de mi yo... Yo vivo en mi conciencia por mí y antes y después de mí... (Maxi).

> Yo no soy más que un accidente del concierto total; yo no me pertenezco, soy un fenómeno... Lo permanente no soy yo, ¡qué cuña!, es el conjunto... (Juan Pablo) (p. 655).

Pero más allá de filosofías abstractas, hay un problema de radical importancia, tanto para Cervantes como para Galdós, problema típico y característico de toda la novelística moderna: el conocimiento de la realidad, y su corolario, el actuar en consecuencia. Para Cervantes la cosa es clara: conocer la realidad significa comenzar por conocerse a sí mismo:

has de poner los ojos en quién eres, procurando conocerte a ti mismo, que es el más difícil conocimiento que puede imaginarse (24).

Pues como comenta Américo Castro, «cada uno ha de conocerse a sí mismo, y no intentar romper su sino natural, su inmanente finalidad» (25). Mas las cosas no son tan fáciles: la realidad se presenta como oscilante, a consecuencia de la ruptura del viejo organicismo medieval (26), y puede ofrecer un peligroso *engaño a los ojos* (27). Ello se puede llamar también relativismo, perspectivismo, y su consecuencia es que la realidad se ofrece como vaga y confusa. Por otro lado, la imaginación y la fantasía contribuyen también a engañar al hombre (28), lo mismo que el sueño, la ensoñación, lo que parece y en verdad no es, tema también propio del humanismo erasmista:

(24) *Quijote*, II, 42.
(25) *Op. cit.*, p. 169.
(26) Cf. Rodríguez-Puértolas, Blanco Aguinaga y Zavala, *Historia social*, y Rodríguez-Puértolas, *Literatura y alienación*.
(27) Castro, *op. cit.*, pp. 82-90.
(28) Castro, *ibid.*, p. 80.

debe todo hombre vivir muy sobre aviso para no jurar ni creer ligeramente lo que les paresciere, hasta ser bien certificado de ello, pues vemos que cada día nos engañamos en las cosas miradas a sobre haz (29).

Ahora bien, Cervantes no deja a sus personajes perdidos en tan confuso laberinto enajenante:

todos viven pendientes de las señales que pueden orientarlos en su trato con el mundo (30),

señales que es preciso buscar:

ahora digo que es menester tocar las apariencias con la mano para dar lugar al desengaño (31).

Pues dice también el propio Cervantes:

No se ande con esferas,
con globos y con máquinas
de inteligencias puras:
atienda, espere, escuche, advierta y mire (32).

¿Y Galdós? En él aparece, de un modo u otro, todo lo dicho por Cervantes al respecto. También para

---

(29) Erasmo, *Coloquio llamado de religiosos*, *apud* Castro, *op. cit.*, p. 88. Cf. otros ejemplos erasmianos en la misma página, sobre «lo que se ve y no se ve», tema también de *Fortunata y Jacinta*, como menciono algo más abajo.

(30) Richard L. Predmore, *El mundo del Quijote* (Madrid, 1958), p. 100; para una lista de esas «señales», cf. pp. 100 y ss.; también Castro, *op. cit.*, pp. 90-92 y 171.

(31) *Quijote*, II, 12.

(32) *La entretenida*, ed. cit., p. 479. Otros ejemplos en Castro, *op. cit.*, p. 91.

74

los personajes de *Fortunata y Jacinta* la realidad puede ser vaga y confusa (cf. pp. 644 y 913, por ejemplo), en que sueño y verdad se mezclan; no es casualidad que tres personajes diferentes —Fortunata, Moreno-Isla, Maxi— se hagan a sí mismos idéntica pregunta, si están dormidos o despiertos ← (pp. 729, 871, 940). Lo cual trae a la memoria el final de la aventura de la Cueva de Montesinos en el *Quijote* (33). Otros peligros acechan al hombre en su aproximación a la realidad: la imaginación, por un lado (p. 401), y la emotividad, por otro (página 641). Hay, en todo caso, un ser y un parecer, una realidad y una apariencia (p. 349); y como consecuencia, parece *como si* existiesen dos mundos, «el que se ve y el que no se ve», en lo que coinciden Juanito Santa Cruz (p. 106), Maxi (página 300), Feijóo (p. 627) y Fortunata (pp. 687-688, 730). Y, sin embargo, como dice Galdós-narrador, «lo que debe suceder, sucede, y no hay bromas con la realidad» (p. 624). Por ello, es preciso aprehender los datos inmediatos no de la conciencia, como diría Bergson, sino de la realidad pura y simple; como afirma Maxi en un momento de lucidez,

> procedamos con estricta lógica, y no aseguremos nada que no esté fundado en un dato real (pp. 929-930; cf. también pp. 941-942).

Los personajes de *Fortunata y Jacinta* intentan realizarse, mas, como ha visto Montesinos,

---

(33) Cf. *Quijote*, II, 24.

sucumben en esa empresa por haberse cometido un error inicial —los errores en Galdós como
en Cervantes son mortales—, y seguimos el
curso de sus vidas con el corazón encogido,
pues el error suele estar a la vista y tenemos
una premonición del fracaso (34).

Pero Montesinos no va más allá en la localiza-
ción de tales errores, cervantinos o galdosianos;
se hace imperioso, por lo tanto, intentar una clarifi-
cación de tan importante asunto. Es de nuevo Américo Castro quien trató de lúcida manera el tema
de «La doctrina del error» en Cervantes (35). Se
trata de

> una infracción del orden natural, y el castigo
> que Cervantes da a los infractores revela que
> la misma naturaleza es la encargada de aplicar
> automáticamente las sanciones, y no los po-
> deres extranaturales. En suma, esta justicia
> cervantina va implícita en la culpa, es inma-
> nente (36).

Y, en efecto, toda una galería de criaturas cervantinas, equivocadas a diferentes niveles y por diferentes motivos, sufrirán las consecuencias ineluc-
tables de sus acciones erróneas. Así, en el *Quijote*

---

(34) *Op. cit.*, I, xx.
(35) *Op. cit.*, pp. 132-142 y p. 150, nota 28.
(36) *Ibid.*, p. 141. Coincide otra vez Cervantes con tesis humanistas: Tomaso Campanella, por ejemplo, afirmaba que «todo
vicio es una violación de la ley de la naturaleza, y se castiga
en sus consecuencias por la misma naturaleza, la cual no puede
ser violada» (*apud* Castro, loc. cit.).

y como ejemplo, muere Grisóstomo, enamorado de la pastora Marcela, la cual, de acuerdo con la idea de que el amor ni se busca ni se fuerza, sino que simplemente se encuentra, se considera —y lo es— inocente de lo ocurrido (37); lo mismo sucede, en tono menor, con las fracasadas bodas de Camacho *el rico*, en que Quiteria, la novia, termina casada con su amante Basilio (38). En *Persiles y Segismunda*, el polaco Ortel Benedre consigue casarse con la hermosa Luisa, convencida por sus padres y las joyas del extranjero; el episodio acaba con el asesinato de Benedre a manos de su esposa, que, por último, vuelve a casarse con su amante (39). Pero en este contexto, la pieza maestra de Cervantes es la novelita *El celoso extremeño*. El viejo Carrizales, casado con la jovencísima Leonora, añade a esta acción antinatural otra más, el bárbaro encierro a que somete a su mujer; el adulterio de Leonora y la muerte de Carrizales —no sin antes racionalizar y explicar lo ocurrido, perdonando a la joven— constituyen un apoteósico final en que Cervantes ejemplifica trágicamente sus ideas al respecto (40). El patetismo de todos estos personajes,

---

(37) *Quijote*, I, 14; cf. Castro, *op. cit.*, p. 131.

(38) *Quijote*, II, 19-21; cf. Castro, *op. cit.*, p. 137. Lo mismo pensaba Erasmo: «Yo muero por ti, y tú eres la causa y, por el consiguiente, yo el muerto y tú el homicida... Como sea en libertad del hombre no amar, ¿no te parece que de sí mismo es homicida el que pone sus amores, subjeta su libertad e solicita con mucha importunidad a una donzella para querer de ella por ventura más de lo que es lícito y honesto?» (*Coloquio del matrimonio, apud* Castro, *op. cit.*, pp. 131-132).

(39) Cf. Castro, *op. cit.*, p. 132.

(40) Cf. Castro, *ibid.*, pp. 130-131, 135-136, 153, nota 64. En el entremés *El viejo celoso* insiste Cervantes en el mismo asunto,

destruidos o fracasados —y hay muchos más en Cervantes—, aumenta si recordamos algo ya dicho más arriba: que el acierto o el desatino radica en nosotros mismos. Don Quijote mismo lo dice bien a las claras:

cada uno es artífice de su ventura (41).

León Livingstone ha puesto de relieve que para Galdós,

«la relación normal entre el hombre y la naturaleza y entre hombre y hombre es una relación de armonía y es sólo una anormalidad humana, expresada en una variedad de fanatismos, la que destruye esa compatibilidad natural. El proceso desnaturalizador consiste en la imposición, por él mismo o por otros, de fuerzas artificiales o fines inalcanzables» (42).

Veamos cómo y por qué se produce esa desnaturalización o deshumanización, o, de otro modo, esa destrucción de los personajes de *Fortunata y Jacinta*. Será preciso comenzar por el principio, esto es, por Fortunata, pues es en las relaciones

de forma, claro es, más alegre y desenfadada. Por otro lado, el nada convencional final de *El celoso extremeño* choca directamente con las costumbres y la moral de la época: Carrizales es un raro marido del Siglo de Oro que no lava con sangre su honor; cf. Castro, «Cervantes se nos desliza en *El celoso extremeño*», *PSA* (febrero 1968), 205-222.

(41) *Quijote*, II, 66; en *La Numancia* se dice lo mismo: «cada cual se fabrica su destino» (Cervantes, *OC*, p. 149).

(42) «The Law of Nature and Women's Liberation in *Tristana*», *AG*, VII (1972), 93.

con ella donde los restantes héroes van a encontrar su destrucción —excepción hecha de Moreno-Isla—, proceso en el que la propia Fortunata, como veremos después, es también aniquilada. He aquí su descripción física:

> Tenía las carnes duras y apretadas, y la robustez se combinaba en ella con la agilidad, la gracia con la rudeza, para componer la más hermosa figura de salvaje que se pudiera imaginar... (p. 330).

Frente a tal rotundidad, recuérdese cómo es Maxi, enamorado y casado con Fortunata:

> Su piel era lustrosa, fina, cutis de niño con transparencias de mujer desmedrada y clorótica. Tenía el hueso de la nariz hundido y chafado, como si fuera de sustancia blanda y hubiese recibido un golpe, resultando de esto no sólo fealdad, sino obstrucciones de respiración nasal, que eran sin duda la causa de que tuviera siempre la boca abierta... física y moralmente parecía hecho de sobras (p. 296).

Un detalle más: Maxi, según la opinión de su tía, la inefable doña Lupe, no *puede* hacer el amor (página 335). El contraste con Fortunata no puede ser más brutal, pero Galdós insiste todavía:

> La desproporción entre las estaturas de uno y otro y entre el conjunto de su apariencia

personal mortificaba tanto al pobre chico que hacía esfuerzos imposibles y a veces ridículos para menguar aquella falta de armonía (p. 686; cf. también p. 735).

Como dice Gustavo Correa,

> el destino trágico de Maximiliano Rubín... se debe al error de haberse unido en matrimonio con Fortunata, siendo tan radical la diferencia existente entre los dos... La realidad actúa en todos los demás aspectos de la novela con el rigor con el cual funcionan las leyes de la Naturaleza (43).

Primer error, pues, de Maxi, de tipo puramente físico. Pero hay más, hay otro tipo de equivocaciones en Maximiliano (nótese, dicho sea de paso, la maleante ironía galdosiana al dar tal nombre a tan enteco personaje):

> ... llegó a vivir más con la visión interna que con la externa... Tenía Maximiliano momentos en que se llegaba a convencer de que era otro... «Verdaderamente —decía él—, ¿por qué ha de ser una cosa más real que la otra? ¿Por qué no ha de ser sueño lo del día y vida efectiva lo de la noche...?» (p. 300) (44).

---

(43) Art. cit., loc. cit.
(44) Cf. también p. 325: se cree «poseedor de una fuerza redentora, hermana de las fuerzas creadoras de la Naturaleza»; p. 349: «veía las cosas por el lente de sus ideas propias, y para él todo era como debía ser y no como era»; p. 993: «Yo, desde

Tan radical disociación con la realidad conduce a Maxi a la locura y al manicomio.

No a la insania, sino a la muerte, llegará don Evaristo Feijóo como consecuencia de sus relaciones con Fortunata. Feijóo aparece así, en el momento en que comienza su amistad con la chulapa:

> Su cara, que era siempre sonrosada, poníase encendida, con verdaderos ardores de juventud en las mejillas. Era, en suma, el viejo más guapo, simpático y frescachón que se podía imaginar: limpio como los chorros del oro, el cabello rizado, el bigote como la pura plata: lo demás de la cara, tan bien afeitado que daba gloria verle: la frente espaciosa y de color de marfil, con las arrugas finas y bien rasgueadas. Pues de cuerpo, ya quisieran parecérsele la mayor parte de los muchachos de hoy. Otro más derecho y bien plantado no había (p. 619).

El bien conservado mas ya nada joven caballero —tiene sesenta y nueve años (cf. p. 634)— no resiste el contacto físico con Fortunata por mucho tiempo:

> «¡Qué bajón tan grande, compañero —se decía—; pero qué bajón! Y esto va a escape. Ya se ve. La locurilla me ha cogido ya con los huesos duros y con muchas Navidades enci-

---

que entré en esta gran crisis de la razón, todo lo veo claro y la naturaleza humana no tiene secretos para mí.»

ma... Pero, francamente, este bajoncito no me lo esperaba yo todavía» (p. 633).

Desde mañana pienso usar gafas verdes. Estaré bonito. En cuanto al oído, ya te habrás enterado. Hace días era el izquierdo, ahora es el derecho... Pero es insigne majadería rebelarse contra la Naturaleza. Tiene ella sus fueros, y el que los desconoce lo paga (p. 634; cf. también pp. 637, 638, 901).

Amargo final, durante el cual Feijóo ha adquirido conciencia del porqué. Y lo paga, como lo pagó el viejo Carrizales cervantino, sin duda, junto con Feijóo, víctima de implacable muerte *post errorem* (45).

Ya a otro nivel fracasan también todos aquellos que de un modo u otro quieren «convertir» y «redimir» a Fortunata: el cura Nicolás Rubín, primero; Guillermina Pacheco —*la rata eclesiástica*—, después; el padre Nones, por último: Fortunata, en efecto, muere sin confesión (p. 1025) (46). Y un caso aparte es el de Juanito Santa Cruz. También

---

(45) Cf. Castro, *op. cit.*, p. 130. Sorprende que Montesinos (*op. cit.*, II, 267) escriba, a propósito de la relación Fortunata-Feijóo: «dura poquísimo, pues Galdós, como si estuviera obligado a hacerlo, lo introduce ya muy viejo y aún anula demasiado pronto sus últimas energías. Pero esto no es importante [sic]; sí lo son las lecciones que imparte a su amiga...». Precisamente, el violento contraste entre la sabiduría y prudencia manifestadas por Feijóo en tales consejos (cf. «Un curso de filosofía práctica», pp. 614-669) y la fascinación que siente por Fortunata, que le lleva a la muerte, indica la capital relevancia de tal hecho.

(46) Cf., sobre estas fracasadas redenciones, Montesinos, *op. cit.*, II, 235-236.

le llega el momento de la verdad, cuando se ve abrumado por una terrible cadena de causa y efecto de impecable lógica:

> Entonces se vio que la continuidad de los sufrimientos había destruido en Jacinta la estimación a su marido, y la ruina de la estimación arrastró consigo parte del amor, hallándose por fin éste reducido a tan míseras proporciones, que casi no se le echaba de ver (página 1029).

La destrucción de Juanito no es física ni moral, pero sí es quizá más patética y trágica: la soledad. Conviene recordar que no es el adulterio la *culpa* de Juanito, sino el haber utilizado a su capricho a Fortunata, tomándola y dejándola a voluntad, *cosificándola* en suma:

> abandonando después a su cómplice y haciendo a ésta digna de compasión y aun de simpatía, por una serie de hechos de que él era exclusivamente responsable (p. 1029) (47).

Y Fortunata, ¿cómo y por qué es también destruida? Por un lado, es claro que también cometió un error al casarse con Maxi, bien expresado en el siguiente párrafo:

> ¡Casarme yo!... ¡*Pa chasco*!... ¡Y con este encanijado!... ¡Vivir siempre, siempre con él,

---

(47) Sobre la cosificación en *Fortunata y Jacinta*, cf. cap. I de este mismo libro.

todos los días..., de día y de noche!... Pero calcula tú, mujer..., ser honrada, ser casada, señora de Tal..., persona decente...» (pp. 332-333).

La equivocación de Fortunata es, pues, doble: unirse a un *encanijado*, aceptar las seducciones de la sociedad, ella que tan agresivamente independiente se ha mostrado en otras ocasiones, como fue visto más arriba. En cierto momento, su capacidad —tardía— de análisis se manifiesta de modo magistral, al considerar el yerro cometido también al enamorarse del señorito Santa Cruz, yerro agravado después al casarse con Maxi:

Todo va al revés para mí... El hombre que quise, ¿por qué no era un triste albañil? Pues no; había de ser señorito rico, para que me engañara y no se pudiera casar conmigo... Luego, lo natural era que yo le aborreciera... Pues no, señor; sale siempre la mala, sale que le quiero más... Luego, lo natural era que me dejara en paz y así se me pasaría esto; pues no, señor: la mala otra vez; me anda rondando y me tiene armada una trampa... También era natural que ninguna persona decente se quisiera casar conmigo, pues no, señor: sale Maxi y... ¡tras!, me ponen en el disparadero de casarme; y nada, cuando apenas lo pienso, bendición al canto... ¿Pero es verdad que estoy casada yo?... (p. 514).

A otro nivel, resulta claro que Fortunata no tiene sino una muy confusa conciencia de clase (48), y que, al igual que los restantes personajes «castigados», no comprende la realidad y tampoco tiene voluntad:

> Me dejé meter en las Micaelas y me dejé casar... ¿Sabes tú cómo fue todo eso? Pues como lo que cuentan de que *manetizan* a una persona y hacen de ella lo que quieren, lo mismito. Yo, cuando no se trata de querer, no tengo voluntad. Me traen y me llevan como una muñeca... (p. 521).

Y así, Fortunata sufre y muere, consolada, eso sí, por haber entregado su hijo a Jacinta, asegurando, a lo que parece, el porvenir social del niño. Mas esto, sin embargo, constituye la última y suprema ironía de Galdós: ese hijo no es en verdad una representación simbólica de la síntesis armoniosa de los varios mundos que se enfrentan en la novela, sino indicación del triunfo final de una burguesía avasalladora y deshumanizante, que ha manejado a las criaturas de *Fortunata y Jacinta* del mismo modo que Juanito ha manejado a su castiza y popular amante (49).

Queda por mencionar, en esta enumeración de personajes destruidos, a Manuel Moreno-Isla y a Jacinta. El primero, viejo solterón, antiguo don Juan, anglófilo y rico, quiere ahora, como dice una

---

(48) Cf., sobre tan importante asunto de *Fortunata y Jacinta*, capítulo I de este mismo libro.
(49) Cf. cap. I del presente libro.

de las hembras por él seducidas, «calor de hogar y no lo encuentra en ninguna parte... Que lo pague» (p. 839). Y, en efecto: lo pagará. La pasión que siente por su honesta prima Jacinta acabará consumiéndole y matándole. Su médico lo dice con claridad:

> tiene en su mano su salud y su vida. Si las pierde, es porque quiere. Parece mentira que un hombre de su edad no sepa ponerse a las órdenes de la razón. «¡La razón! Buena tía indecente está», observó don Manuel dentro de su pensamiento (50).

En sus elucubraciones, Moreno-Isla quiere saber si sería capaz, todavía, de tener hijos (p. 845), conociendo la gran obsesión de Jacinta. Y muere en medio de una total incomprensión de la realidad:

> ¿Y quién me asegura que el año que viene, cuando vuelva, no la encontraré en otra disposición? Vamos a ver... ¿Por qué no había de ser así? Se habrá convencido de que amar a un marido como el que tiene es contrario a la naturaleza... (p. 871).

Los problemas de Jacinta comienzan con su matrimonio mismo, planeado y organizado por la madre de Juanito sin mayor participación de los no-

---

(50) Moreno Rubio, el médico de la familia, le ha dicho previamente algo citado ya más arriba: «¿Quieres romper de un golpe la armonía del mundo espiritual con el mundo físico?» (p. 844).

vios (p. 69); incluso el viaje de bodas es pensado no por la pareja, sino por don Baldomero Santa Cruz (p. 75); las camas separadas de la alcoba de los recién esposados (p. 116) constituyen todo un símbolo. La falta de hijos inquieta a Jacinta en grado sumo (cf. p. 152, por ejemplo), y las infidelidades y frivolidades de Juanito acaban de trastornarla. Y será precisamente al final de la novela cuando Jacinta, una Jacinta que ha perdido ya la estimación por su esposo y que confiesa —también demasiado tarde— el interés oculto que había sentido por su admirador, Moreno-Isla, articule lo que hay en el fondo de su subconsciente:

> También ella tenía su idea respecto a los vínculos establecidos por la Ley, y los rompía con el pensamiento, realizando la imposible obra de volver el tiempo atrás, de mudar y trastocar las calidades de las personas, poniendo a éste el corazón de aquél y a tal otro la cabeza del de más allá... un ser ideal que bién podría tener la cara de Santa Cruz, pero cuyo corazón era seguramente el de Moreno..., aquel corazón que la adoraba y se moría por ella... Porque bien podría Moreno haber sido su marido..., vivir todavía, no estar gastado ni enfermo y tener la misma cara que tenía *el Delfín*, ese falso, mala persona... «Y aunque no la tuviera, vamos, aunque no la tuviera... ¡Ah!, el mundo entonces sería como debía ser, y no pasarían las muchas cosas malas que pasan»... (pp. 1030-1031).

Las cosas parecen claras. Error y castigo inexorable encadenan la existencia de los personajes galdosianos, pues

> no contamos con la Naturaleza, que es la gran madre y maestra que rectifica los errores de sus hijos extraviados. Nosotros hacemos mil disparates, y la Naturaleza nos los corrige (página 1036).

Esto es, los corrige a costa incluso de nuestras propias vidas. Tales palabras, dichas por Maxi el mismo día del entierro de Fortunata y de Feijóo, y poco antes de ser él mismo internado en un manicomio, adquieren así un trágico e implacable sentido. Pues «el que impulsado por el querer va más allá del poder, cae y se estrella» (p. 919). Y algo más: quien

> no pueda o no sepa dar a la Naturaleza lo que es de la Naturaleza y a la Historia lo que es de la Historia, que se calle... (p. 575).

Palabras que coinciden casi literalmente con otras de Cervantes mismo:

> sufra y calle el que se atreve a más de a lo que sus fuerzas le prometen (51).

Hasta aquí hemos visto las relaciones que unen a Galdós con Cervantes en lo que se refiere a la

---

(51) *Quijote,* I, 44.

llamada *doctrina del error* y al castigo *post-mortem*, relaciones y paralelismos evidentes y que demuestran sin lugar a dudas que, en efecto, Galdós había asimilado a la perfección una serie importante del pensamiento y de las técnicas narrativas cervantinas. Ahora bien, tal hecho, si bien interesante por sí mismo —y que muestra también la «modernidad» de Cervantes—, mas no sometido a más consideraciones, serviría únicamente para pergeñar un comentario más o menos erudito sobre fuentes e influencias literarias. Pero Galdós, como es lógico, va más lejos que Cervantes, y lo que hay en él es algo característico del historicismo del siglo XIX —ya insinuado más arriba—: el concepto de Historia, que unido al de Naturaleza forma el núcleo de *Fortunata y Jacinta* a este nivel de las ideas. Preciso será citar una vez la fundamental frase: quien

> no pueda o no sepa dar a la Naturaleza lo que es de la Naturaleza y a la Historia lo que es de la Historia, que se calle (p. 575).

Naturaleza e Historia, pues, quizá con un nuevo eco hegeliano. Adaptarse a ambas, como se ha ido viendo a lo largo de este capítulo, significa vivir, o mejor, sobrevivir; lo contrario supone fracaso y eventual destrucción. Parece, por otro lado, que Naturaleza e Historia tienen sus propias leyes, mecánicas e inexorables; parece que el hombre, los personajes galdosianos, atrapados en el fatal mecanismo, son incapaces de comprender su funcionamiento, inhábiles para captar la realidad. Por ello son destruidos, y así, a este nivel, queda cerrado el tema. Pues, sin duda, los héroes de *Fortunata y Jacinta* son aniquilados sin piedad por no haber podido ni sabido aprehender Naturaleza ni Historia, ni tampoco, desde luego, el hecho totalmente básico de que el ser humano es parte integral de esa Naturaleza y hacedor de la Historia: la primera puede ser comprendida en sus leyes y controlada; la segunda puede ser transformada. Frente al idealismo hegeliano y al materialismo algo vulgar de Feuerbach, Marx descubría —utilizando, sin embargo, a ambos— la relación que existe entre la ontología materialista y la antropología:

> las *sensaciones*, pasiones, etc., del hombre, no son sólo determinaciones antropológicas en sentido estricto, sino verdaderamente afirmaciones *ontológicas* del ser (Naturaleza) (52).

Lo fundamental aquí es que el factor antropológico específico (*Humanidad*), no puede ser aprehendido en su historicidad dialéctica si se olvida la totalidad ontológica (*Naturaleza*), a la que finalmente pertenece. La falta de identificación dialéctica entre totalidad ontológica y especificidad antropológica lleva consigo la aparición de contradicciones insolubles, y conduce tanto a postular una suerte de «esencia humana» fija y delimitada, como a la eliminación de toda historicidad (53).

---

(52) Karl Marx, *Manuscritos: economía y filosofía* (Madrid, 1974, 5.ª), p. 176.
(53) Cf. Mészáros, *op. cit.*, p. 43; cf. también pp. 107-108,

En el momento en que Galdós escribe *Fortunata y Jacinta*, parece atrapado en las borrosas redes de un idealismo hegeliano o seudohegeliano, al mismo tiempo que en ciertos esquemas de un darwinismo y naturalismo templado por sus creencias espiritualistas y su —a pesar de todo— fe en la bondad genérica del ser humano. La contradicción es patente, y el resultado es que en *Fortunata y Jacinta* no hay salvación para sus héroes, que no imaginan siquiera la existencia de esa relación dialéctica entre Humanidad y Naturaleza; por lo mismo, toda referencia a la «Historia» queda perdida en un concepto rígido y esquemático en que el hombre tampoco parece poder participar de modo directo. Y, por lo tanto, al estar el ser humano enajenado de su ser genérico, lo está también con respecto a los demás hombres (54). Los mecanismos de la Naturaleza y la marcha no menos mecánica de la Historia se unen para aplastar al ser humano. Así, no hay

> solución del conflicto entre el hombre y la Naturaleza, entre el hombre y el hombre... del litigio entre existencia y esencia, entre objetivación y autoafirmación, entre libertad y necesidad, entre individuo y género (55).

A este nivel los héroes de *Fortunata y Jacinta* quedan atrapados y destruidos, como también quedan

---

y Marx, *op. cit.*, pp. 182-208: «Crítica de la dialéctica hegeliana y de la filosofía de Hegel en general».
(54)   Marx, *ibid.*, p. 113.
(55)   Marx, *ibid.*, p. 143.

atrapados y destruidos a otro nivel fundamental, el social, por la clase dominante de la época (véase el capítulo I de este libro). La evolución de Galdós, la salida —en los dos niveles mencionados— a tan asfixiantes círculos, vendrá después, de acuerdo con el proceso de radicalización del novelista, que irá aproximándose más y más hacia el socialismo obrero de Pablo Iglesias (véase el capítulo III de este libro). Habrá que decirlo de nuevo: Galdós escribe ya, en *Fortunata y Jacinta, desde* la burguesía, pero *en contra* de ella. El conjunto de su obra, como de su vida personal, significa un largo

> proceso dialéctico en busca de la salida a la parálisis que aquel régimen [oligárquico] había llevado a la nación (56).

(56) Víctor Fuentes, «El desarrollo de la problemática político-social en la novelística de Galdós», *PSA,* núm. 192 (marzo 1972), p. 230, nota.

III

GALDOS Y «EL CABALLERO ENCANTADO»

El caballero encantado, una de las últimas novelas galdosianas, fue publicada en 1909. Es de las obras menos leídas de Pérez Galdós, pretérida e injustamente olvidada. En términos generales, los críticos despachan *El caballero encantado* en unas pocas, apresuradas líneas, quizá páginas. Acercarse a esta novela significa, en primer lugar, abrirse paso a través de la broza crítica. Pues, en efecto, si buscamos opiniones sobre ella, nos encontramos con algunas tan típicas como éstas:

(*Casandra* (1905), *El caballero encantado* (1909) y *La razón de la sinrazón* (1915)), todas ellas en forma de diálogo, son híbridos abstractos y de construcción suelta, que muestran claras señales de declive en la capacidad creadora..., están caracterizadas por una blandura propia de la vejez y por una disminución en la energía creadora (1).

_____

(1) Sherman H. Eoff, *The Novels of Pérez Galdós. The Concept of Life as Dynamic Process* (Washington University Press, 1954), pp. 16 y 155. Utilizo aquí la edición de *El caballero encantado*, de Madrid, 1909, por la cual cito. He tenido a la vista la edic. moderna preparada por J. A. Gómez Marín (Madrid, 1972).

El radicalismo de la madurez de Galdós contiene una dosis de senilidad prematura (2).

Ha sido José Schraibman quien ha estudiado *El caballero encantado* a la luz del llamado *estilo de la vejez* (3), mas, en rigor, conviene recordar que ya Joaquín Casalduero había señalado el camino al hacer su clasificación de las novelas galdosianas e insertar la aquí comentada en un «período mitológico» (4). La espiritualización y el mito, el «irrealismo» de esta novela ha hecho, como señala Antonio Regalado García, que haya sido bordeada por la crítica «por no poder explicarla con arreglo a la idea fija de un Galdós exclusivamente realista» (5). Desde otro punto de vista, Sherman E. Eoff llega a afirmar que las últimas novelas de Galdós «are hardly representative of the social novels as a whole» (6). En resumen, se trata, como dice Manuel Tuñón de Lara, de que al estudiar a Galdós

---

(2) Hans Hinterhäuser, *Los «Episodios Nacionales» de Benito Pérez Galdós* (Madrid, 1963), p. 144; cf. también p. 215.

(3) «Galdós y el "estilo de la vejez"», *Homenaje a Rodríguez-Moñino*, II (Madrid, 1966), 165-175; cf. también, del mismo, «Los estilos de Galdós», *Actas del II Congreso Internacional de Hispanistas* (Nimega, 1967), pp. 581-582.

(4) *Vida y obra de Galdós (1843-1920)* (Madrid, 1970, 3.ª), páginas 167-169.

(5) *Benito Pérez Galdós y la novela histórica española: 1868-1912* (Madrid, 1966), p. 252. Véase, sin embargo, Gerald Gillespie, «Reality and Fiction in the Novels of Galdós», *AG*, I (1966), 31, nota: «The upsurge of fantasy in the late works such as *El caballero encantado* (1909) does not indicate a revolutionary change in Galdós, but only the assertion of already latent and dormant traits, first notable in *La sombra* (1870)». Cf. también Schraibman, páginas 170 y 175 del primero de sus arts. citados. Todo ello había sido señalado ya por *Andrenio* en *Novelas y novelistas* (Madrid, 1918), pp. 111-112.

(6) *Op. cit.*, p. 31.

se ha tratado con singular empeño de minimizar esta parte de su obra. ¿Cómo? Cualquier medio es bueno: desde los que hablan de *senilidad* (!) hasta quienes, como Berkowitz (que, por otra parte, tanto hizo por su conocimiento), no vacilan en presentarlo como escribiendo al dictado de los republicanos como una víctima de éstos. «Todo vale», sí, señores... (7).

Antes de continuar, y como respuesta hipotética del propio Galdós a las acusaciones de *senilidad*, conviene recordar lo que el novelista había escrito ya en 1899 y puesto en boca de su interesante personaje de los *Episodios Nacionales*, don Beltrán de Urdaneta; un anciano, no se olvide:

Cuando la realeza falla, cuando la milicia es impotente, inepto el cleriguicio, incapaz la aristocracia, veamos, hombre, veamos si aparece algo grande y fuerte en medio del surco abierto en la tierrra, allí por donde anda la reja del arado. ¿En dónde crees tú que está la energía? ¿En los señoritos, en la nube de palaciegos y empleados, en los de pluma en la oreja, en los de espada al cinto, en los absentistas y contratantes, en los que comen de fonda, en los que andan muy huecos porque han bebido algunas gotas de lo que llaman *espíritu*

---

(7) *Medio siglo de cultura española (1885-1936)* (Madrid, 1970), página 123. Pío Baroja había definido las últimas producciones galdosianas como «el saldo de *Episodios Nacionales* de don Benito» (*La sensualidad pervertida*, ed. Alianza Editorial, Madrid, 1967, p. 555).

del siglo? No sabes contestarme. Miras en de-
rredor tuyo y no ves la energía. Yo tampoco
la veo, pero sé dónde está, y me lo callo porque
no crean que chocheo... (8).

Mi intención es, en suma, mostrar que *El caballero
encantado* no es, como se ha dicho, ni un «curioso
capricho de Galdós» (9), ni tampoco su «último sueño romántico» (10).
Dejando a un lado la peregrina discusión acerca del *estilo de la vejez*, acudamos a delimitar algunos aspectos importantes de la novela dentro de
ese impreciso marco del *estilo.* Harto conocida es
la evidente influencia cervantina que a lo largo de
su obra muestra Galdós, influencia por todos señalada pero merecedora de un estudio coherente
y de conjunto. En *El caballero encantado* tal influencia es manifiesta (11). Para Gamero y de Lai-

---

(8) *Vergara, OC,* II (Madrid, 1944), 1014.
(9) Emilio G. Gamero y de Laiglesia, *Galdós y su obra,* II
Las novelas (Madrid, 1934), 368.
(10) Schraibman, art. cit., p. 175. Más aceptable me parece lo
dicho por *Andrenio* (*op. cit.,* p. 107): «Ha sido en las novelas
de Galdós el canto del cisne.»
(11) Sorprende por ello que un estudioso de Galdós como
Ricardo Gullón no lo mencione siquiera; cf. «Galdós y Cervantes», en *Galdós, novelista moderno* (Madrid, 1960), pp. 54-57.
Cf. sobre el tema, «Galdós y Cervantes», *Hispania,* XLI (1958),
259-273. Stephen Gilman lo ha señalado certeramente: «Anyone
who has read beyond the first "Contemporary Novels" and
the first series of *Episodios* cannot help but realize his increas-
ing assimilation of Cervantes» («Realism and the Epic in Galdós'
*Zaragoza», Estudios Hispánicos (Homenaje a Archer M. Hunting-
ton,* Wellesley, 1952, p. 171). Cf. J. Warshaw, «Galdós Indebtedness
to Cervantes», *Hispania,* XVI (1933), 127-142; M. Latorre, «Cervantes y Galdós», *Atenea,* LVIII (oct. 1947), 11-40; J. C. Herman,
«Galdós' Expressed Appreciation for Don Quijote», *MLJ,* XXXVI
(1952), 31-34; «Quotations and Locutions from *Don Quijote* in

glesia, uno de los primeros comentaristas de Galdós, se trataría más bien de una imitación de las novelas de caballerías (12). Schraibman se acerca más a la verdad al escribir que

> Galdós, en un tributo más a su maestro por excelencia —Cervantes—, escribe una novela de caballerías siguiendo el patrón cervantino; cada capítulo lleva su título descriptivo, de manera que muchos coinciden, en palabra o en tono, con *Don Quijote* (13).

El caballero encantado está literalmente empedrado de utilizaciones, recuerdos y más o menos

---

Galdós' Novels», *Hispania*, XXXVI (1953), 177-181; *Don Quijote and the Novels of Pérez Galdós* (Ada, Oklahoma, 1955); A. H. Obaid, «Sancho Panza en los *Episodios Nacionales*», *Hispania*, XLII (1959), 199-204; César Rodríguez Ch., «La huella del Quijote en las novelas de Galdós», *La palabra y el hombre*, 38 (1966), páginas 223-263; Gustavo Correa, «Tradición mística y cervantismo en las novelas de Galdós», *Hispania*, LIII (1970), 842-851. Aparecen numerosas referencias pertinentes en el libro de Michael Nimetz *Humor in Galdós* (Yale University Press, 1968). Cf. capítulo II del presente libro.
(12) «Esta novela parece estar hecha con el recuerdo puesto en los libros de caballerías, y de ahí los encantamientos y metamorfosis; las pruebas a que han de someterse los elegidos por el mago transfigurador; las luchas contra desaforados endriagos (el Gaytín de Calatañazor) y malsines, que quieren apoderarse de la mujer amada, y el retorno luego a la vida normal, limpia de taras y defectos que se sublimaron en la pugna para adorar rendidos a la dama de sus pensamientos» (*op. cit.*, p. 369). Joaquín de Entrambasaguas, entre otras posibles influencias del Siglo de Oro, no muy convincentes, menciona también «un influjo indefinido de los libros de caballerías» (*Las mejores novelas contemporáneas*, I, Barcelona, 1957, 820).
(13) Art. cit., pp. 168-169. Para Angel del Río («Notas sobre el tema de América en Galdós», *NRFH*, XV, 1961, 294), se trataría de una imitación del *Persiles*. Este trabajo ha sido incluido en el libro *Estudios galdosianos* (Nueva York, 1969), pp. 119-139

veladas alusiones al *Quijote* (14), sin que falten referencias directas al propio Cervantes (15). Importantes personajes y pasajes de *El caballero encantado* están inspirados directamente, en fin, en textos cervantinos (16).

Otra influencia clásica —y que marca, en parte, su estilo— en *El caballero encantado* es la de Juan del Encina, de cuya *Representación Séptima* hace Galdós una transposición literal, en un animado diálogo en que varios pastores ofrecen sus humildes regalos a la Madre-Mariclío-España (17). Se trata, como ha dicho Regalado García, de que

> a veces el talento de un escritor, su originalidad, están en lo que hizo Galdós al integrar los encantadores versos de Encina en su narración novelesca (18).

Otro tipo de influencias posibles ha sido sugerido por Schraibman: las del modernismo (19). Creo

---

(14) Véanse algunos: «Al rabadán... llamábanle Sancho... de condición leal y ruda cortesía» (p. 77); «el ordenamiento de los grandes rebaños, que vienen a ser como ejércitos» (p. 77); «He soñado que vivimos en un mundo patriarcal, habitado por seres inocentes que no viven más que para compartir con amorosa equidad los frutos de la tierra...» (p. 104); «Topé por mi desgracia con unos golfos... que en la puerta de un ventorro jugaban y reían con dos descocadas *hetairas*» (p. 288). Referencias a los encantamientos aparecen en las pp. 54, 56, 129, 321, 332.

(15) Alcalá de Henares (p. 313); la Cueva de Montesinos (página 325).

(16) Así, la Madre en la *España* de *La Numancia,* cf. más abajo; véanse los títulos que Galdós pone a los capítulos de su novela.

(17) Sobre *El caballero encantado* y Encina, cf. Regalado García, *op. cit.,* pp. 487-488.

(18) *Ibid.,* p. 488.

(19) Art. cit., p. 167.

que una lectura atenta de *El caballero encantado* no permite, en modo alguno, descubrir tal influjo; por el contrario, cierto pasaje parece revelar cierta ironía con respecto al modernismo:

> Ayer compré este espejo en casa de un anticuario. Hoy, verás..., me dan ganas de mirarme en él, y..., ¡qué sorpresa, qué gracia, qué chiste tan modernista! (p. 47).

Pasaje que conviene relacionar con otro de *Misericordia* en que Galdós pone en solfa algunos aspectos de la escuela: la imaginativa Obdulia piensa

> irse de paseo, ansiosa de ver jardines, arboledas, carruajes, gente elegante, y su peinadora le dijo que se fuera al Retiro, donde vería esas cosas, y todas las fieras del mundo, y además cisnes, que son, una comparanza, gansos de pescuezo largo (20).

Característica especial de *El caballero encantado* son sus diálogos, de corte «totalmente teatral» (21). Son cuatro, en que el héroe de la novela conversa respectivamente con su padrino, el marqués de Torralba, y sus amigos José Augusto del Becerro, Ramirito Núñez y Asensio Ruiz del Bálsamo (pp. 22-36; es el capítulo III, al que no le

---

(20) *Misericordia, OC,* V (Madrid, 1967), 1938. La ironía galdosiana recuerda de inmediato el conocido «Tuércele el cuello al cisne», del mexicano Enrique González Martínez.
(21) Schraibman, art. cit., p. 171.

falta la oportuna acotación escénica: «Gabinete con desordenada elegancia. Puertas que comunican por aquí con el bayo; por acá, con un salón que se supone más ordenado que lo que está a la vista; por acullá, con el entra-y-sal de los que visitan»); con la Madre —Mariclío de los *Episodios Nacionales*— (pp. 87-97); con Becerro y el capataz de las excavaciones de Numancia (pp. 159-168); con la Madre de nuevo (pp. 205-210). Es de notar que en tales diálogos los personajes tratan siempre, con el protagonista, de temas históricos o sociales fundamentales, de que me ocuparé después (22).

En cuanto a la lengua de *El caballero encantado*, baste tener presente lo dicho por Eduardo Gómez de Baquero:

> está escrito en un lenguaje verdaderamente clásico, de pureza y corrección extremadas. Galdós ha llegado a ser uno de nuestros primeros y más castizos prosistas, cosa que ignoran los que, no habiéndole leído con constancia, le juzgan por sus primeras obras, en las que había cierto descuido (23).

Pero la nota verdaderamente significativa dentro del estilo de *El caballero encantado* la constituye el concepto de realidad que la novela evidencia, y

---

(22) Sobre el «diálogo total» galdosiano, cf. Gullón, *op. cit.*, página 253, y anteriormente *Andrenio, op. cit.*, pp. 90-93, a propósito de *Casandra*. Cf. también Roberto G. Sánchez, «El "sistema dialogal" en algunas novelas de Galdós», *CHA*, 235 (julio 1969), pp. 155-167.
(23) *Op. cit.*, p. 107.

que, como ha sido mencionado, ha provocado el malestar de muchos críticos. Ricardo Gullón ha podido escribir que *El caballero encantado* y *La razón de la sinrazón* «están fuera de la realidad contemporánea, fuera del mundo galdosiano, conforme lo vemos en las novelas anteriores» (24). Casalduero, por el contrario, al tratar de las *épocas* de Galdós, dice: «la imaginación pasa de ser un signo negativo en el primer período a serlo positivo en el segundo» (25). Y Francisco Ayala, por su parte, afirma:

una ojeada panorámica a la producción galdosiana... nos persuadirá de que, en efecto, la realidad es a sus ojos algo más de lo que los ojos mismos pueden ver; y aun de que en ese *plus* está para él lo esencial (26).

Galdós mismo, en efecto, lo había explicado así en su importante prólogo a *La regenta*, de *Clarín*. *El caballero encantado* aparece repleto de alusiones a este problema de las interrelaciones entre realidad e imaginación, realidad y fantasía. Una de

---

(24) *Op. cit.*, p. 116. Ello es sorprendente si tenemos en cuenta lo que el propio Gullón escribe páginas después: «En Galdós, los elementos maravillosos, lo irreal y fantástico surge fundido con la realidad» (p. 164); «Galdós supera el realismo por el camino de la penetración poética en torno suyo» (p. 227).

(25) «El desarrollo de la obra de Galdós», *HR*, X (1942), página 249.

(26) «Sobre el realismo en la literatura con referencia a Galdós», en *Experiencia e invención* (Madrid, 1966), p. 201; cf. todo el capítulo, pp. 171-203. Sobre este tema, véase también Gustavo Correa, *Realidad, ficción y símbolo en las novelas de Pérez Galdós* (Bogotá, 1967), pp. 21-33, 116-144, 163-191 y 210-230.

las primeras de la novela es harto significativa; Becerro le dice al protagonista:

¿Sabes ya que me ocupo del Marqués de Villena, primer apóstol de las ciencias físicas en España, y precursor de esa otra ciencia que nos enseña las leyes y fenómenos del universo suprasensible? (p. 43).

El héroe, en efecto, a partir de cierto momento abandona «el concepto de lo real para volverse al de lo maravilloso» (p. 55); en Numancia, «padecía crisis aguda de imaginación, con disloque de nervios y propensión a ver en anárquico desorden las realidades físicas» (p. 169) (27). Y, además, el mundo del subconsciente, en extraordinario y moderno atisbo:

la subconsciencia o conciencia elemental estaba en él como escondida y agazapada en lo recóndito del ser, hasta que el curso de la vida lo descubriera de nuevo. Así lo dicen los estudiosos que examinan estas cosas enrevesadas de la física y la psiquis, y así lo reproduce el narrador sin meterse a discernir lo cierto de lo dudoso (p. 58).

empezaba, pues, el desdoblamiento de las dos figuras, de las dos personalidades, desdoblar

_____

(27) Cf. también pp. 25, 41, 44, 46-47, 49-51, 54, 68-70, 117, 128, 131, 149, 172, 184, 188, 191, 196-199, 215, 230, 231, 264, 291, 297, 311-312, 319, 322, 326, 329-330, 333, 339.

lento, que los estudiosos de la psiquis comparan a las primitivas funciones de la vida vegetal (p. 69).

En rigor, nada de esto es nuevo en la novelística galdosiana; baste recordar, además de los primeros ensayos, como *La sombra* o *Marianela, La incógnita* (1888-1889), *Realidad* (1889), *Angel Guerra* (1890-1891), *Misericordia* (1897), y, *a posteriori,* la última serie de los *Episodios Nacionales* (1909-1912). Angel Guerra lo ha dicho bien a las claras:

> una de las ansias que más me atormentan es la de lo sobrenatural, la de que mis sentidos perciban sensaciones contrarias a la ley física que todos conocemos... Lo sobrenatural, lo maravilloso, el milagro, me hacen falta a mí, y por encontrarlos diera todo lo que poseo (28).

La raíz cervantina de este complejo *realismo total* es evidente (29). Que Galdós lo explore, utilice y desarrolle en una época positivista, achatada y gris, es un dato más e imprescindible a la hora de valorar su obra. Ese *realismo total* habría de encontrarse con la incomprensión de muchos críticos y lectores, y, sin duda, constituye un ataque frontal contra el realismo pedestre de la novela de su tiempo, contra la novela como *género burgués* por ex-

---

(28) *Angel Guerra, OC,* V (Madrid, 1961), 1458. Cf., sobre este tema, Gerald Gillespie, «Galdós and the Unlocking of the Psyche», *Hispania,* LIII (1970), 852-856.
(29) Cf. capítulo II del presente libro.

celencia (30). Y ello lo acerca, una vez más, al inquietante mundo de la narrativa de nuestros días, entendiendo por tal la producida desde James Joyce en adelante.

En íntima relación con todo lo mencionado y con otros asuntos de que me ocuparé más adelante, se halla —como en Cervantes, otra vez— el concepto dialéctico que de la novela y del mundo parece tener Galdós, otro de esos temas que aguardan su investigador. Al tratar de las épocas históricas de la Península, escribe Galdós:

> la muerte aparente de una traía la emergencia de otra... Hoy, según creo, todas se han muerto y todas viven... (p. 93).

El protagonista dice de sí mismo:

> En verdad no sé si soy difunto o si de mi defunción quiere salir una nueva vida (p. 311).

El niño que sintetiza esa nueva vida, producto de los conflictos dialécticos anteriores, cierra aquí el presente de los héroes y anuncia un futuro mejor (pp. 346-348) (31). ·

---

(30) Ramón María Tenreiro señalaba en su reseña de *El caballero encantado* (*La lectura*, X, 1, 1910, 174-176), precisamente, los valores de la novela de Galdós, por marcar un renacimiento de lo fantástico en la literatura española, que, según dicho crítico, se ponía así a la altura de la europea.
(31) Cf. también pp. 97, 315, 344. Acerca del hegelianismo dialéctico de Galdós, cf. Casalduero, *op. cit.*, p. 127; Eoff, *op. cit.*, páginas 138 y ss., y especialmente Carlos Clavería, «El pensamiento histórico de Galdós», *Revista Nacional de Cultura*, XIX,

En 1886 decía *Clarín,* gran amigo de Galdós:

Existe hoy en Europa, sobre todo en las naciones más adelantadas, una tendencia que yo considero, en parte, nociva: la tedencia de los espíritus superiores, o que se creen superiores (que no es lo mismo), a despreciar la política... Parece como que hay esta tendencia a vivir en calidad de *dilettante* en el mundo, dejando que los arduos asuntos los resuelvan los hombres de segundo orden (32).

Es bien sabido que Galdós no participaba, en modo alguno, en tal tendencia. Declara el novelista que «venía siendo casi republicano desde 1880» (33). En 1906 fue elegido diputado republicano por Madrid, asistiendo desde entonces a numerosos mítines y actos políticos, firmando y escribiendo manifiestos... En 1909 es llevado al Congreso por 42.419 votos madrileños. La situación de España, evidentemente, obligó a Galdós a tomar decisiones y adoptar actitudes cada vez más radicales y progresistas. Recordemos someramente algunos hechos

---

121-122 (1957), 172-173. Contra todas estas opiniones, Hinterhäuser, *op. cit.,* pp. 116-117. Es tema que merece detenido estudio; cf. capítulo II del presente libro.

(32) *Apud* Tuñón de Lara, *op. cit.,* p. 36.

(33) Luis Antón del Olmet y Arturo García Carraffa, *Los grandes españoles. Galdós* (Madrid, 1912), p. 99; cf. también pp. 100-103. Galdós había conseguido un acta de diputado ya en 1886 y —justo es confesarlo— por los habituales métodos caciquiles: fue «representante» de Guayama, Puerto Rico, por Sagasta (cf. Berkowitz, *op. cit.,* pp. 197-207, y Regalado García, *op. cit.,* p. 216, con virulento ataque contra Galdós).

significativos previos a *El caballero encantado*: 1879, fundación del PSOE; 1886, de *El Socialista;* 1888, de la UGT; 1889, participación en la Segunda Internacional; 1890, celebración inicial del Primero de Mayo; 1892, toma campesina de Jerez de la Frontera; 1893, huelga de San Sebastián, de matiz nacionalista, y guerra de Melilla; 1897, asesinato de Cánovas y proceso de Montjuich; 1898, el *Desastre;* 1902, motines anticlericales, de especial virulencia en Zaragoza... Todo ello flanqueado por continuas huelgas obreras e incidentes campesinos, así como por el desarrollo del socialismo y del terrorismo anarquista. *El caballero encantado* es novela escrita entre julio y diciembre de 1909. En el primero de esos meses comienza la guerra de Marruecos, de tan desastrosos efectos, y estallan los motines populares que culminan en Barcelona —la *Semana Trágica*—. En octubre fue fusilado Francisco Ferrer, lo que provocó la caída de Antonio Maura. La *Conjunción Republicano-Socialista* es un resultado más de los sucesos: don Benito Pérez Galdós figura en la presidencia del correspondiente Comité Ejecutivo (34). Es importante trazar, siquiera sea brevemente, la evolución ideológica de Galdós desde aquel año de 1886 en que es llevado por vez primera al Congreso con los habituales métodos de la oligarquía restauradora, hasta 1909. El escepticismo de Galdós

---

(34) Cf. Juan José Morato, *Pablo Iglesias, educador de muchedumbres* (Barcelona, 1968), pp. 139-145; Olmet y Carraffa, *op. cit.*, pp. 104-108. Acerca de lo que políticamente pensaba Galdós en tales circunstancias, cf. su manifiesto «Al pueblo español» (*España Nueva*, 6-X-1909).

acerca de la política turnante parece evidente. En carta a Narciso Oller se explica así:

No se duela usted de verme diputado. Yo no soy ni seré nunca político. He ido al Congreso porque me llevaron, y no me resistí a ello porque deseaba ha tiempo vivamente conocer de cerca la vida política. Ya dentro del Congreso, cada día me alegro de haber ido, porque, sin mezclarme en nada que sea política activa, voy comprendiendo que es imposible en absoluto conocer la vida nacional sin haber pasado por aquella casa. ¡Lo que allí se aprende! ¡Lo que allí se ve! ¡Qué escuela! (35).

En 1907 justifica de la siguiente forma su incorporación al republicanismo histórico:

A los que me preguntan la razón de haberme acogido al ideal republicano les doy esta sincera contestación: tiempo hacía que mis sentimientos monárquicos estaban amortiguados;

---

(35) *Apud* William H. Shoemaker, *Estudios sobre Galdós* (Valencia, 1970), p. 205; cf. también Olmet y Carraffa, *op. cit.*, páginas 48-50. Véase lo dicho por Galdós en 1907 sobre el Congreso y el sistema «representativo»; «llevamos al Congreso la queja honda de un país mal gobernado, de un país que pide agua y le dan la hiel y vinagre de una administración persecutoria, de un país que pide instrucción y es condenado a perpetua ignorancia, que pide vida y le dan muerte, que anhela la verdad clamando en el desierto, y en éste se le engaña con oasis pintados. ¡Vive Dios que ya se cansa del bromazo sin fin!» (Prólogo al libro de Cristóbal de Castro *Los señores diputados*, Madrid, 1907; *apud* Shoemaker, *Los prólogos de Galdós*, México, 1962, p. 77).

se extinguieron absolutamente cuando la Ley
de Asociaciones planteó en pobres términos el
capital problema español; cuando vimos claramente que el Régimen se obstinaba en funda-
mentar su existencia en la petrificación teocrá-
tica... condenarnos a vivir adormecidos en el
regazo frailuno... añadir a las innumerables
tiranías que padecemos el aterrador caciquismo eclesiástico... Sin tregua combatiremos la
barbarie clerical hasta desarmarla de sus viejas
argucias; no descansaremos hasta desbravar y
allanar el terreno en que debe cimentarse la
enseñanza luminosa, con base científica, indispensable para la crianza de generaciones fe-
cundas; haremos frente a los desafueros del ya
desvergonzado caciquismo, a los desmanes de
la arbitrariedad enmascarada de justicia... (36).

Y una vez que republicanos y socialistas han unido fuerzas contra el régimen monárquico en la
Conjunción, Galdós parece inclinarse cada vez más
hacia el PSOE. Ya en 1910 se siente alejado del
Partido Republicano, y escribe:

Este partido está pudriéndose por la inmensa
gusanera de caciques y caciquillos. Tiene más
que los monárquicos... Para hacer la revolución, lo primero, lo indispensable, sería dego-
llarlos a todos. Si éstos trajeran la República,
estaríamos peor que ahora... Voy a irme con

---

(36) «Galdós, republicano», *El Liberal* (6-IV-1907), *apud* Olmet
y Carraffa, *op. cit.*, pp. 115-118.

Pablo Iglesias. El y su partido son lo único serio, disciplinado, admirable, que hay en la España política... (37).

Todavía en abril de 1912 Galdós se manfiesta
republicano, pero explica así sus puntos de vista
en carta enviada al acto fundacional del Partido
Reformista de Melquíades Alvarez:

Alejado de la acción política, aunque sin apar-
tar mi pensamiento de la idea republicana y
de la grandeza que precisa dar a la Conjunción,
entiendo que los republicanos deben organizar-
se y disciplinarse, creando una fuerza tan poderosa como la de nuestros leales colaborado-
res y aliados los socialistas... Con el empuje

---

(37) «Por esos mundos» (junio, 1910), *apud* Melchor Fernández
Almagro, *Historia del reinado de Alfonso XIII* (Barcelona, 1933),
página 166. Sobre lo que pensaba Galdós de Pablo Iglesias y
sobre la admiración que por él sentía, cf. Morato, loc. cit., y
especialmente p. 145: «Galdós oía a Iglesias recogido, y alguna vez le habló de "hacerse socialista", de entrar en aquella
admirable Casa del Pueblo.» Y, además, sus respuestas a la
encuesta organizada por *Acción Socialista* (26-XII-1915), titulada «¿Qué opina usted de Pablo Iglesias?» Y a la inversa: el
fundador del PSOE admiraba a Galdós: asistió al estreno de
La de San Quintín (1894), «y aplaudió de firme, viendo en el
maestro un futuro socialista, aunque no militante» (Morato,
ibid., pp. 144-145). Matías Díaz Latorre publicó en *El Socialista*
(2-III-1894) un elogioso comentario de la obra. No ocurrió lo
mismo en 1901 con *Electra*, criticada por el órgano obrero
por ser drama exclusivamente burgués. Véase este comentario
del propio Pablo Iglesias en «La táctique du Parti Ouvrier Es-
pagnol» (*La Petite Republique*, 21-IV-1901): «l'auteur d'*Electra,*
qui a enthousiasmé beaucoup des gens candides... Pour un so-
cialiste, la question essentielle est la question économique. Le
problème religieux, si important qu'il soit en Espagne, ne do-
mine pas les autres» (*apud* Josette Blanquat, «Au temps d'*Electra*», *BH*, LXVIII, 1966, 283).

de la doble falange republicana y la colaboración socialista, tendremos en la Conjunción el ariete formidable cuyo funcionamiento espera con ansia el país más desdichado que hoy existe en el mundo (38).

Como puede verse, Galdós toma como modelo al PSOE. Y en ese mismo año de 1912, en entrevista celebrada con Olmet y Carraffa y tras unas observaciones despectivas para la política habitual y para los propios republicanos (39), Galdós declara lo que sigue:

—¿Qué preveo? Que todo seguirá lo mismo. Que volverá Maura, y Canalejas, que los republicanos no podrán hacer lo que sinceramente desean, y que así seguiremos viviendo hasta... Hasta que del campo socialista sobrevengan acontecimientos hondos, imprevistos, extraordinarios.
—Entonces, ¿cree usted en el socialismo?
—Sí. Sobre todo en la idea. Me parece sincera, sincerísima. Es la única palabra en la cuestión social.

---

(38) *Apud* J. Blanquat, «Documentos galdosianos: 1912», *AG*, III (1968), 144.

(39) *Op. cit.*, pp. 109-111; en p. 110 dice Galdós que los republicanos «se ocupan con excesivo ardor de cosas pequeñas y no responden a un mismo criterio». Berkowitz (*op. cit.*, p. 402) glosa así la nueva actitud de Galdós: «Perhaps the only solution for this problem was Socialism, which attracted him more and more because of its seeming sincerity. In comparison, Spanish republicanism appeared petty to him... He was quite ready to withdraw his support from an institution which he had mistaken for a cause.»

Hizo una pausa el gran escritor. Luego, extendiendo profética una de sus manos venerables, dijo en voz baja:

—¡El socialismo! Por ahí es por dónde llega la aurora (40).

En todo caso, para Hinterhäuser todo esto no pasaría de ser un «socialismo sentimental» (41).

---

(40) Olmet y Carraffa, *op. cit.*, p. 111.

(41) *Op. cit.*, p. 149. Sin duda que Galdós no fue nunca marxista; para afirmar esto no es preciso acudir al hecho anecdótico de que el ejemplar que poseía de *El capital* tuviese las hojas sin abrir (Hinterhäuser, *ibid.*, p. 122, nota; cf. también p. 144, nota). Y, sin duda, también, que en 1871-1872, cuando Galdós menciona la Internacional, no lo hace con excesiva simpatía (Regalado García, *op. cit.*, pp. 94-95). Mas Galdós, como es sabido, evolucionará lo necesario como para acercarse al socialismo en la forma aquí señalada. Ya en 1872 se pregunta Galdós: «¿Qué es preferible: el pueblo supersticioso, según la escuela antigua, o el pueblo filósofo, según la escuela de la Internacional?» (*Crónica de la Quincena*, 30-V-1872, ed. Shoemaker, Princeton, 1948, p. 136). Casi cuarenta años después escribirá: «Y yo pregunto a ustedes, señores republicanos tibios y calientes, señores demagogos y socialistas de la Internacional, ¿harán ustedes algo duro y hondo, algo que no sea esta labor de tontería y aturdimiento? Si no cambian de tocata, la restauración viene; vendrá traída por todos, y principalmente por ustedes... (*Amadeo I, OC*, III, 1080). Es muy posible que Galdós no anduviese muy lejos de la posición de Antonio Machado con respecto al marxismo y al socialismo. Decía don Antonio: «Desde un punto de vista teórico, yo no soy marxista... Veo, sin embargo, con entera claridad, que el socialismo, en cuanto supone una manera de convivencia humana, basada en el trabajo, en la igualdad de los medios concedidos a todos para realizarlo, y en la abolición de los privilegios de clase, es una etapa inexcusable en el camino de la justicia; veo claramente que ésa es la gran experiencia humana de nuestros días, a que todos, de algún modo, debemos contribuir» (*Discurso a las Juventudes Socialistas Unificadas*, en *Obras. Poesía y prosa*, Buenos Aires, 1964, pp. 690-691; ed. Aurora de Albornoz y Guillermo de Torre). Cf. capítulos I y II del presente libro.

Pero el Galdós que había escrito artículos en honor de la Fiesta de los Trabajadores, del Primero de Mayo, y participado personalmente en ella en más de una ocasión (42), se inserta así —y aquí vemos las primeras conexiones con la generación— en el marco ideológico y cronológico de lo que Carlos Blanco Aguinaga ha llamado la «juventud del 98» (43). Se trata, en efecto, de que Galdós, el novelista de la clase media, ha descubierto el *problema nuevo*, la *cuestión social*, el *proletariado militante* y sus luchas. Veamos algunos textos galdosianos, no por conocidos menos dignos de tener una vez más en cuenta:

> Es la voz pavorosa del Socialismo, la nueva idea que viene pujante contra la propiedad, contra el monopolio, contra los privilegios de la riqueza, más irritantes que los de los blasones. Tiembla la presente oligarquía ante estos anuncios... La riqueza pertenece a los *trabajadores*, que la crean, la sostienen y aquilatan, y todo el que en sus manos ávidas la retenga al

---

(42) «El primero de Mayo» (15-IV-1890), *Política española* (Madrid, 1923), pp. 273-274; «El primero de Mayo», *España Nueva* (1-V-1907). El 3-XII-1909, el diario *El País* justificaba la gran demora en la publicación de un libro de Ricardo Fuente, *Vulgarizaciones históricas,* que habría de llevar un prólogo de Galdós. El retraso se debe, explica el periódico, a los graves sucesos de dicho año; Galdós mismo no ha podido terminar el prometido prólogo, ni su *Casandra teatral,* ni su *Caballero encantado,* pues «no ha faltado ni a una de las mil juntas y reuniones celebradas desde antes de caer los conservadores, hasta terminarse la candidatura por Madrid» (*apud* Shoemaker, *op. cit.,* pp. 186-187).

(43) *Juventud del 98* (Madrid, 1970).

amparo de un Estado despótico, detenta la propiedad, por no decir que la roba (marzo-abril de 1902) (44).

Debilitado el ideal patrio, debilitada la fe en la monarquía, la fe en la república, queda tan sólo la esperanza en una nueva fe, que surja del fondo social acabando con la indiferencia y el caciquismo, con el autonomismo personal y con la depravada caterva de *frescos* y *chistosos*... Resta el problema nuevo que avanza sobre tanto escombro, el problema del vivir, de la distribución equitativa del bienestar humano, y de las vindicaciones que apenas intentadas, difunden por todo el mundo la desconfianza y el pavor... Reino inmenso, misterioso, de la nivelación social, donde todos los humanos disfrutan por igual de los dones del cielo y de la tierra (abril de 1904) (45).

Y, efectivamente, en las últimas novelas y en los últimos episodios de Galdós puede verse, como ha sido señalado por Berkowitz, de qué forma

su nueva fe y filiación forzaron a Galdós a modificar radicalmente sus convicciones sociales. Donde previamente se había concentrado en la clase media, ahora puso mayor atención en el proletariado y saludó su mayor preparación, su mejorada organización y fuerza naciente. Toda-

---

(44) *Las tormentas del 48, OC,* II (Madrid, 1944), 1485 y 1497-1498.
(45) «La reina Isabel», en *Memoranda* (Madrid, 1906), p. 52.

vía no estaba preparado para defender una revolución social, pero animó a los obreros, y especialmente a los campesinos, a arrebatar el poder a los ricos (46).

Ha sido Joaquín Casalduero quien mejor ha resumido esta evolución ideológica de Galdós, el cual escribe todavía *desde* la burguesía, pero *en contra* de la misma (47):

> Galdós se compara con este pueblo que trabaja de sol a sol para morirse de hambre; que, siempre disciplinado, acude a toda llamada del ideal, dispuesto a sacrificar todo lo que tiene: la vida. Y al compararse, se llena de dolor y vergüenza, se ve empequeñecido, se considera indigno de este pueblo, al cual todos traicionan. No sabe qué es más repugnante, si su moderación primera o su escepticismo posterior. Es en este momento de remordimiento, de amargura y dolor, cuando Galdós se pone a la altura de su obra (48).

A ese momento y a esa altura corresponde, precisamente, *El caballero encantado.*

Es preciso tener en cuenta el «argumento» de *El caballero encantado.* Don Carlos de Tarsis y Suárez de Almondar, marqués de Mudarra y conde de Zorita de los Canes, terrateniente y oligarca,

---

(46) *Op. cit.,* p. 393. Cf. también Regalado García, *op. cit.,* p. 357; Clara E. Lida, «Galdós y los *Episodios Nacionales*: una historia del liberalismo español», *AG,* III (1968), 70.
(47) Tuñón de Lara, *op. cit.,* pp. 23 y 27.
(48) *Op. cit.,* p. 153.

explota miserablemente a los campesinos para vivir con todas las comodidas y comer opíparamente a costa del trabajo agotador de los explotados, y la Madre [Clío, España] lo encanta para castigar su delito y para que aprenda a ganar el pan con el sudor de su rostro (49).

Transformado en Gil, campesino humilde, peregrina por Castilla la Vieja en busca de su purificación y de su enamorada, la maestra Cintia-Pascuala. Desencantado y *regenerado*, Carlos-Gil, unido a su amante, luchará por desencantar y *regenerar* el país todo.

Dentro de este esquema, Galdós va a pasar revista a las diversas clases que constituyen la sociedad española, clases que aparecen claramente delimitadas y caracterizadas. El marqués de Torralba, tío y tutor de Tarsis, exige de su ahijado

un cumplimiento exacto de las fórmulas y reglas del honor, la cortesía, el decoro en las apariencias. Nada de escándalos, nada de singularizarse en sitios públicos; evitar en todo caso la nota de cursi; proceder siempre con distinción; divertirse honestamente; al teatro a ver obras morales, cuando las hubiere; a misa los domingos por el *que no digan,* y por las noches a casita temprano (p. 6).

Mas Tarsis, «señorito muy galán y de hacienda copiosa» (p. 5), satisface «todos los goces de la

---

(49) Regalado García, *op. cit.,* p. 474.

vida, sin poner en ello tasa ni freno» (p. 7); sus diversiones son «los devaneos esportivos», el «vértigo del automóvil», «las cacerías o juegos cinegéticos, ajetreo vano y ruidoso» (pp. 12-13). Un hábito de caballero y un puesto en el Congreso, representando «un distrito de cuya existencia geográfica tenía sólo vagas noticias» (p. 13), complementan el cuadro. Mas falta algo. Tarsis, terrateniente, necesita dinero para alimentar su ocio:

> ¿Que las rentas no bastaban? Pues a subirlas. Ponían el grito en el cielo los pobres labrantes y elevaban al amo sus lamentos. Pero él no hacía caso: el tipo de renta era muy bajo. Los que chillen por pagar doce, que paguen veinte. El destripaterrones es un ser esencialmente quejón y marrullero: si le dieran gratis la tierra, pediría dinero encima... (p. 17).

El caballero, cínicamente, resume así su vida y la de los oligarcas:

> Aristocracia es la política, y todo lo que tome formas aristocráticas no lleva en sí más que figuración y vanas apariencias. Nobles y políticos somos lo mismo, es decir, nada (p. 34).

Pero la aristocracia de Tarsis, como la de muchos de sus amigos, proviene de «opulentos almacenistas, y otros que llegaron a la redondez económica por inmediata herencia de padres laboriosos o por combinaciones mercantiles favorecidas de la ocasión o del acaso» (p. 13). El propio Tarsis explica así su auténtica ascendencia y su situación de burgués enriquecido y ennoblecido por la Restauración:

Me arrimo a la genealogía de mi abuelo materno, que tuvo el negocio de harinas, y con *este polvo*, como decía en las cartas comerciales, amasó la riqueza que yo estoy desmigando ahora. Atrás Gustios y Mudarras, fuera el nieto de Noé, y viva mi Suárez, por donde, según tú, debo llamarme *Asur, Hijo del Victorioso...*, hijo del molinero, que, amparado del arancel, alimentó a tres generaciones de cubanos, y acá se traía las cajas de azúcar... (pp. 27-28).

¿Y el proletariado? Se ha dicho hasta la saciedad que en las novelas de Galdós es la clase media el protagonista, que Galdós olvida la existencia del obrero. Y ello es así atendiendo al conjunto de la obra galdosiana. Pero quienes tal afirman olvidan, a su vez, importantes textos, *Fortunata y Jacinta* (1886-1887), por ejemplo (50). Pero aparte del tema obrero como tal, con sus habituales características de realismo y retrato de unas condiciones de vida miserables —recuérdese que Galdós quiso, hasta el final de su vida, escribir una novela sobre los mineros de Río Tinto (51)—, hay en el autor

---

(50) Cf. en este mismo libro capítulos I y II, sobre *Fortunata y Jacinta*.

(51) Berkowitz, *op. cit.*, p. 444; Hinterhäuser, *op. cit.*, p. 206. En *Marianela* constan impresionantes y realistas descripciones de las condiciones de trabajo en las minas, dignas de figurar

de *El caballero encantado* algo quizá más importante: una explicación del papel que al trabajador le estaba reservado en la sociedad del futuro y en la auténtica regeneración de España (52). Galdós, en efecto, recomienda repetidamente la purificación por medio del trabajo, glorificando éste, único medio renovador y constructivo. La Mariclío de los últimos *Episodios Nacionales* le dice así a Tito, el héroe de los mismos:

Conque ya lo sabes: no quiero verte romántico, llorón, ni neurótico, ni flatulento, ni poseído de los demonios, que todos estos nombres han sido aplicados sucesivamente a los enfermos de necedad aguda. Conservando amorosamente el saber que tienes archivado en tu cabeza, ponte a trabajar en una herrería, forjando a fuerza de martillo el metal duro; abre el surco de la tierra, siembra el grano y cosecha la mies; arranca de la cantera el mármol o el granito; agrégate a los ejércitos que entran en batalla; lánzate a la navegación, al comercio, y si logras juntar a tu saber teórico la ciencia práctica que aprenderás en estos trajines, serás un hombre (53).

en una antología obrerista; cf. *OC*, IV (Madrid, 1954), 696-700 y 715.

(52) En *El caballero encantado*, ese futuro papel contrasta con la situación del momento: los capitales españoles, «sólo trabajan en la comodidad de la usura, que es una cacería de acecho como la de las arañas. La poca industria que hay es extranjera, y la española, en funciones mezquinas, busca beneficio pronto, fácil y, naturalmente, usurario» (p. 35).

(53) *La primera república*, *OC*, III (Madrid, 1945), p. 1182.

En el mismo episodio, un simbólico herrero le dice al propio Tito:

Yo y mis compañeros de trabajo somos forjadores de los caracteres hispanos del porvenir. ¿No comprendes esto?... Pues has de saber, hombrecillo de obcecado entendimiento, que estos hierros son resortes para las voluntades, que no han de doblarse ni romperse. Luego verás cómo trabajamos el acero y otros metales, que han de dar resistencia a los corazones y solidez a los cráneos donde se alberga el pensamiento (54).

En *El caballero encantado*, una de las «pruebas» que ha de superar el joven Tarsis-Gil es el trabajo en una cantera próxima a Agreda, en la provincia de Soria:

Pero cuando el espectador se acercaba, ya no sentía lástima del monte, sino de los que en él trabajaban, bajo un sol ardiente, gateando en el áspero declive. Los unos taladraban la peña con poderosas barras, los otros recogían los pedazos dispersos por la explosión, despeñándolos por la pendiente, hasta que los peones los partían y cargaban las carretas. Era un trabajo de gigantes: algunos, desnudos de medio cuerpo arriba, mostraban admirables torsos y brazos de atletas formidables; otros, agobiados de fatiga, se doblaban por la cintura, conte-

---

(54) *Ibid.*, p. 1186.

nían el gemido para poner toda su alma en el esfuerzo, sacado a tirones angustiosos de las más hondas flaquezas... (p. 112).

Incluso compara Galdós, con frase que debería ser más tenida en cuenta a la hora de hablar de su *ruralismo*, al obrero con el campesino:

> Noble era el arado; mas la barra y su manejo agrandaban y hermoseaban la figura humana (p. 113) (55).

Las contradicciones de los personajes se subliman en admirable síntesis, típicamente galdosiana (56), en un hijo de Tarsis-Gil y de Cintia, su enamorada colombiana, hijo engendrado durante la época de cantero de aquél. El padre es, pues, *pueblo*, no cortesano ni burgués.

En cuanto a los campesinos, el de sus trabajos y estrecheces es tema favorito del último Galdós. Para Regalado García, «el adentramiento de Galdós en la penosa vida de los campesinos no llegará hasta *El caballero encantado*» (57). Sin embargo,

---

(55) Otro personaje ha sido purificado «en la galería más honda y más negra de una mina de carbón... Hacinados como reses dormíamos los trabajadores en una cuadra próxima a la mina...» (p. 334). La Madre-Mariclío-España lo explica así: «A los que cruelmente, ávidamente, sin trabajo propio, apurando la máquina muscular de siervos embrutecidos, sacan del suelo el mineral y fácilmente lo convierten en plata y oro, les llevo a una profunda y negra galería, y allí les tengo con su picachón en la mano todo el tiempo que se me antoja, arrancando carbón, hierro u otra rica materia, y cargando las vagonetas...» (p. 89).

(56) Cf. *La primera república;* véase nota 31.

(57) *Op. cit.,* p. 363; compárese con lo dicho por Tuñón de Lara y citado poco más abajo.

y en rigor, ya *Narváez* (1902), puede considerarse, en buena parte al menos, como novela campesina, en la cual Galdós enfrenta en dramático contraste la visión idealizada del campo (58) con la sórdida realidad:

> Quien dice labranza, dice palos, hambre, contribución, apremios, multas, papel sellado, embargo, pobreza y deshonra... salta en cada momento la cuestión de las cuestiones, aquella que ya trae revueltos a los hombres desde que los hijos de Adán, o sus nietos y bisnietos dieron en sembrar la primera semilla: la cuestión del tuyo y mío, o del averiguar si siendo mío el sudor, mía, verbigracia, la idea, y míos los miedos del ábrego y del pedrisco, han de ser tuyos los terrones abiertos y la planta y el fruto..., no he podido trabajar nunca sin que a cada vuelta me salieran la partida tal, el fuero cual, el fisco por este lado, la escribanía por otro, las ordenanzas, los reglamentos, las premáticas, el amo de la tierra, el amo del agua, el amo del aire, el amo de la respiración y tantos amos del infierno, que no puede uno moverse, pues de añadidura viene el sacerdote con sus condenaciones, y delante de todos el guardia civil, que se echa el fusil a la cara... y, si uno chista, cátate muerto (59).

Y, por otra parte, que a Galdós le preocupaban seriamente las cuestiones agrarias —en un país,

---

(58) Cf. particularmente p. 1515, ed. *OC*, II (Madrid, 1944).
(59) *Ibid.*, pp. 1521-1522; cf. también p. 1535.

como decían los manuales, «eminentemente agrícola»— lo demuestran los varios artículos que sobre ellas escribió, entre ellas «Rura» (en *El progreso agrícola y pecuario,* enero de 1901) y «¿Más paciencia?» (*ibid.,* enero de 1904) (60). En *El caballero encantado,* en suma, nos encontramos con una «auténtica España rural... donde interviene una larga experiencia —directa e indirecta— del autor» (61). En las primeras referencias alude Galdós a la explotación que atenaza al campesino sin tierra, dominado por el señor latifundista y absentista (páginas 17-18, 31). El problema aparece planteado así:

Bálsamo: —... La culpa es de los grandes propietarios, que viven lejos de sus tierras, como afrentados de ellas. Cobran la renta como un tributo del suelo al Cielo...; no sé si me explico... Como un tributo de los cuerpos a las almas. Los labradores deben convencerse de que las almas son ellos...

Becerro: —Propietario de la tierra y cultivador de ella no deben ser términos distintos.

Bálsamo: —... Mi sentido natural me dice

---

(60) Incluidos en *Memoranda,* ed. cit., pp. 247-257. En *Casandra* (Madrid, 1905), queda también patente esta preocupación galdosiana; cf. pp. 12-13 y 22-23 sobre todo, en que aparecen en dialéctico enfrentamiento los representantes del inmovilismo latifundista con los del reformismo agrario; en p. 255 se habla de los males causados por el *latro-infundio.* Y en *La razón de la sinrazón* (Madrid, 1915), cf. especialmente pp. 163 y 193 y ss.; en p. 184 se ofrece el siguiente programa agrario: «la expropiación forzosa de los latifundios; el reparto de tierras entre los labradores pobres; la reversión al Estado de los predios que no se cultivan».

(61) Tuñón de Lara, *op. cit.,* p. 30.

que el fruto de la tierra debe ser para el que lo saca de los terrones (pp. 33-34).

Galdós explica vívidamente las actividades del campesino, la dureza de su trabajo, su miseria y hambre, las enfermedades y la mortalidad infantil, la emigración, la sujeción de todo tipo a que el sistema caciquil y oligárquico le somete. Pues, como dice uno de los personajes de la novela,

> Aquí vivimos de mentiras. Decimos que ya no hay Esclavitud. Mentira: hay Esclavitud. Decimos que no hay Inquisición. Mentira: hay Inquisición. Decimos que ha venido la Libertad. Mentira: la Libertad no ha venido, y se está por allá muerta de risa (p. 148).

El ennoblecimiento que del campesino hace Galdós aparece de forma evidente en los dos siguientes pasajes:

> ... haciendo rayas con el arado, labor harto penosa, la más primitiva y elemental que realiza el hombre sobre la tierra, obra que, por su antigüedad, y por ser como maestra y norma de los demás esfuerzos humanos, tiene algo de religiosa (p. 59).

> Herido de muerte, cayó sobre el arado, como el atleta que espira al dar de sí el postrer esfuerzo, agotada la reserva vital. Luchó con la tierra; murió en la batalla, como un héroe que

123

no quiere sobrevivir a su vencimiento (páginas 209-210) (62).

Así son las clases sociales en la España de 1909, la España de la *Semana Trágica,* vistas por Galdós. Pero hay, naturalmente, más. Hay el caciquismo, representado en *El caballero encantado* por la larga cáfila de los Gaitanes, Gaitones y Gaitines, oligarcas de diferentes pelajes y muy semejantes a otros, los famosos Peces de *La desheredada* (63). Así aparece descrito don Gaitán de Sepúlveda:

> Era terrateniente, fuerte ganadero y monopolizador de lanas, banquero rural, y de añadidura cacique o compinche de los cacicones del distrito; hombre, en fin, que a todo el mundo, a Dios inclusive, llamaba de tú... (página 71).

Y así funciona el caciquismo:

> Hazte el valiente, aunque no lo seas, y si te cogen, di que te quejarás al señor Gaitín, o que pidan informes de ti a cualquier Gaitín, porque aquí no hay más ley que el ca-

---

(62) Sobre la situación del campesinado, cf. Fernanda Romeu, *Las clases trabajadoras en España, 1898-1930* (Madrid, 1970), y Edward Malefakis, *Reforma agraria y revolución campesina en la España del siglo XX* (Barcelona, 1971).

(63) Cf. cap. XII, «Los Peces (Sermón)», *OC,* IV (Madrid, 1954), pp. 1033-1038. Compárese con lo que dice el noble Tarsis en *El caballero encantado* (p. 18): «En cualquier parte se está mejor que en esta España, que no es más que una pecera. Somos aquí muchos pececillos para tan poca agua.»

pricho y el *me da la gana* de esa familia. Los alcaldes son suyos, suyos los secretarios de Ayuntamiento, suyos el cura y el pindonguero juez, ya sea municipal, ya de primera instancia... Los tiranos que aquí se llaman Gaitines, en otra tierra de España se llaman Gaitanes o Gaitones... Pero todos son lo mismo... (p. 147).

La mayor preocupación de los diferentes personajes de *El caballero encantado* reside en intentar escapar a la red de asechanzas, brutales o sutiles, de los caciques; véase, como ejemplo, el episodio contenido en las páginas 245-258 y 278-282 (64). Del brazo del caciquismo marcha, inevitablemen-

---

(64) En diferentes obras suyas se ocupa Galdós del problema del caciquismo; doña Perfecta, como es sabido, es «un cacique con faldas». Cf. también *Narváez*, donde aparece el siguiente personaje, tan representativo: «Es Salado una trucha de primera, si falto de autoridad y luces para el gobierno de la ínsula concejil, sobrado de marrulleras habilidades para los enredos de campanario y los empeños de su egoísmo. Servicial y deferente con los poderosos y con todo el que ayudarle pueda en su privanza política, guarda sus rigores de ley y sus asperezas de carácter para los humildes sometidos a su vara, por una punta más dura que roble, blanda por otra como junco. Nada teme de los de abajo, infeliz rebaño de hombres más embrutecidos por la miseria que por la ignorancia, los cuales, bajo el falso colorín de una Constitución que proclama y ordena franquicias mentirosas, gimen en efectiva esclavitud. Nada teme tampoco de los de arriba, con tal que en la *votada* saque el candidato que se le designó, y se constituya después en agente o truchimán del diputado, del jefe político y del ministro...» (*OC*, II, pp. 1526-1527). En Madrid, y en 1915, apareció, con prólogo de Galdós, la novela de Arturo Mori *De horca y cuchillo. Tragedias del caciquismo*. Para un buen resumen de lo que pensaba Galdós acerca del caciquismo, cf. sus declaraciones al periódico francés *Le Siècle*, en 1901 (en Josette Blanquat, «Au temps d'*Electra*», p. 306).

te, la corrupción política y social. El sistema precisa, además, para su sostenimiento, de las necesarias fuerzas de orden y de represión: la Guardia Civil. Quizá el episodio más impresionante de *El caballero encantado* sea aquel en que una cuerda de presos es conducida por los civiles. En ella van representantes de toda la España oprimida, desde maestros de escuela a campesinos, amén de algún que otro criminal. El encarcelamiento, el intento de fuga de los detenidos, la muerte de Tarsis-Gil y de la Madre-Mariclío-España a menos de la Benemérita, todo ello contrasta violenta y trágicamente con la frialdad del parte oficial del suceso (pp. 297-315, especialmente). Sobre todo lo ocurrido, y sobre los caminos recorridos por los personajes, se alza la imagen del guardia civil:

> con el máuser al hombre, desafiando al mundo entero con su arrogancia desdeñosa (página 297) (65).

La religión y el clericalismo celtibéricos aparecen también en *El caballero encantado*, a diferentes niveles sociales. El noble Torralba, de catolicismo for-

---

(65) Galdós, a quien no escapa nada de lo que ocurre en su España, enfrenta así, simbólicamente, a los mantenedores del orden establecido y a los obreros: «Y entonces vio el caballero que del fondo de la estancia emergían dos guardias civiles levantándose de un banco. No les había visto antes por hallarse en pie frente a ellos los trabajadores que aún esperaban la paga» (*El caballero encantado*, pp. 156-157). Y en las pp. 305-306 descubrimos que Regino, uno de los guardias, es producto de una curiosa mutación: ha sido reducido a simple número de la Benemérita de su condición anterior de militar de alta graduación.

mulario y hueco, confía en su salvación, pues, como dice Galdós:

> Ya sabemos que ciertos privilegiados van a la eternidad en tren de lujo con *sleeping-car* y coche-comedor. Al despedirse de la vida en el fúnebre andén, dejando sus riquezas aplicadas al servicio de Dios, se les da billete de paso libre al Paraíso, sin las molestias de Fielato, Aduana o Almotacén anímico (p. 21).

El buhonero Cíbico ha perdido su amiga de muchos años, una graciosa *paniquesa* (66), caída ahora en manos eclesiásticas que se niegan a devolverla a su legítimo dueño. Y Cíbico exclama, de forma que recuerda inmediatamente *Electra*, el famoso drama galdosiano:

> Aquí tenéis un caso nuevo de esa peste que llaman Clericalismo. ¿No estáis oyendo todos los días que los frailones o seglares afrailados horonean en las familias, para olfatear y cazar doncellas ricas, y llevárselas al noviciado y profesión en éste o el otro monasterio? Pues lo mismo han hecho conmigo (p. 242).

---

(66) *Paniquesa* es palabra aragonesa, utilizada también en Agreda y su comarca; se trata de la comadreja, no de la ardilla, como afirma Galdós: «un animalejo que al pronto le pareció ratón grandísimo y luego vio que era ardilla» (p. 137); el buhonero Cíbico, dueño del animal, afirma: «En Aragón me dicen el *paniquesero*, por este bicho que llevo conmigo, al cual llaman allí *paniquesa*» (p. 140). Ramón Menéndez Pidal notó el error de Galdós, de quien dice: «no anda muy fuerte en Historia Natural, cuando confunde este animal con la ardilla» (*Orígenes del español*, Madrid, 1950, 3.ª, p. 398, nota).

No faltan ironías y críticas acerca de jesuitas, frailes y monjas, así como referencias al poder abusivo de los curas de pueblo o a sus costumbres (67), a la educación clerical y a ciertas prácticas piadosas:

Los buenos Padres me protegerán para que yo tenga un modo de vivir. Haránme santero de un Niño Jesús muy milagroso que han traído de Roma. Vea usted cómo: ponen el Niño en una linda urna, vestidito de raso con lentejuelas. La urna es también cepillo; por encima tiene una hendidura para meter los cuartos; por dentro una cajita escondida entre flores de trapo... (p. 283) (68).

---

(67) Solamente el cura de Boñices, don Venancio Niño, es tratado benignamente por Galdós, pues «en elogio suyo debe decirse que del lado de los mundanos intereses era el más cristiano de los hombres, pues cuanto poseía, y lo que le entraba por el pie de altar, repartíalo entre sus convecinos afligidos de atroces calamidades, reservándose tan sólo lo preciso para la precaria subsistencia de su nada corta familia» (p. 222). Se trata, sin duda, de un pariente cercano de Nazarín.

(68) El anticlericalismo de Galdós es bien conocido, y no es preciso tratar aquí de él más por extenso. Enorme sería una lista de referencias galdosianas referentes a este asunto; baste mencionar, por su proximidad cronológica, las páginas finales de *Cánovas* (1912), y de ellas el siguiente párrafo: «Fortalecerán su poder educando a las generaciones nuevas, interviniendo la vida doméstica y organizando sus ejércitos de damas necias y santurronas, paulatinamente dotadas con el armamento piadoso que les llevará a una fácil conquista... Cuando salgamos de paseo y nos encontremos con un ignaciano, yo me quitaré el sombrero y tú darás una discretísima cabezada en señal de aparente sumisión, rezongando para nuestro sayo: "Adiós, reverendo; vive y triunfa, que ya te llegará tu hora"» (*OC*, III, p. 1369). Cf. sobre este tema, John Devlin, *Spanish Clericalism. A Study in Modern Alienation* (Nueva York, 1966), pp. 81-95.

Problemas como el de la guerra de Marruecos aparecen también en *El caballero encantado*. El león español, «que hace tiempo anda bastante achacoso y desmejoradillo, le he mandado al Atlas para que se reponga con los aires nativos» (p. 94) (69), y más allá de las ironías, escribe Galdós:

> Veo en mi raza confundidas las grandezas árabes con las ibéricas, así en la guerra como en la política y en las artes, y aspiro a mantener fraternidad con los que fueron mis conquistadores y luego mis conquistados... Pues yo te digo ahora, para que te pasmes y pasmándote vayas aprendiendo, que toda guerra que mis hijos traben con gente mora, me parece guerra civil (p. 208) (70).

Tal idea no es nueva en Galdós; ya en el episodio *Aita-Tettauen* (1904-1905) dice un personaje:

> Otra cosa les digo para que se pongan en lo cierto al entender de guerras africanas, y es que el moro y el español son más hermanos de lo que parece... (*OC*, III, Madrid, 1942, p. 220).

A la ignorancia de las masas españolas, dominadas por el analfabetismo y la incultura, se contra-

---

(69) Véase también p. 56: «león de tomo y lomo, un poco anciano ya y algo raído de melena, dando a entender su larga domesticidad». Más leones hispánicos en pp. 168, 170, 171.

(70) Acerca de la postura de Galdós contra la guerra de Marruecos, cf. el «Mensaje que se leyó en el mitin de la constitución del Bloque», en Olmet y Carraffa, *op. cit.*, pp. 120 y 122-123, así como Berkowitz, *op. cit.*, pp. 394-395.

5

pone la figura del maestro de Boñices, «agraciado por la España oficial con el generoso estipendio de quinientas pesetas al año» (p. 215), y cuya vida es narrada así por el propio interesado:

Vea usted el premio que dan a una vida consagrada a la más alta función del Reino, que es disponer a los niños para que pasen de animalitos a personas... y aun a personajes... Y en esas Cortes o Senados de Madrid, en que tanto se parla, algunos hay que llegaron cerriles a mis manos, y de ellas salieron bien pulidos de lectura y escritura, con algo de aritmética. Nadie me ha favorecido en este *víacrucis* doloroso. Dos generaciones de Gaitines han pasado delante de mí con los oídos tapados a mis quejas, y sólo me atendieron a medias y de mala gana cuando reclamaba yo dos años de atrasos, dos años de paga, ¡Señor!, que me debía el Ayuntamiento. Los Gaitines han favorecido más la fábrica de aguardiente que la fábrica de ilustración. Y heme aquí errante, sin hogar ni más ropa que la puesta y esta manta, atenido a la caridad pública... ¡Oh, niños, niños mil a quienes saqué de las tinieblas, al daros luz hice una generación de hombres ingratos! (p. 273).

Consecuentemente, la muerte del maestro en la cuerda de presos y entre guardias civiles (pp. 302-303) alcanza categoría de impresionante símbolo.

De tal situación, la del caciquismo restaurador (71), es preciso salir, y en *El caballero encantado* se buscan caminos para ello. Pues el pueblo está despertando y los políticos de la oligarquía han perdido *la fórmula:*

> ¿Qué es la fórmula? Pues una receta para confeccionar las mixturas y pócimas con que embriagan o adormecen a la muchedumbre gregaria (p. 211).

Hasta en la olvidada aldea de Boñices resuena, amenazador, el descontento popular:

> Y no una, sino seis o más voces gritaron: «Pues duro a los pudientes ensalzaos, y a los Gaitines que nos roban la vida. ¡Si quieren guerra, guerra!» Alguien propuso que se reuniesen los supervivientes de Boñices con la gente de las aldeas cercanas, hombres y mujeres, viejos y chiquillería, y armados todos con garrotes, o con escopeta el que la tuviese, se lanzaran bramando por los campos y caminos hasta llegar a Soria y a la casa del gobernador, y allí, con escándalo, tiro y estacazo limpio, pidieran y recabaran el derecho a vivir (p. 224).

La vieja Celedonia Recajo, tan semejante a la joven Laurencia de *Fuenteovejuna*, incita al motín en los siguientes términos:

---

(71) Véase en p. 94 una definición de tal régimen. Cito el oportuno pasaje más abajo, en la sección subtitulada «El futuro».

131

¡Labradores, revolucionarios, carandilogios!...
Llorad y mamaréis. Mandrias, si yo hubiera
nacido hombre, en vez de nacer lo que soy,
a esta hecha ya estaríais, como aquel que
dice, de la otra parte... ¿Sabéis lo que os digo?
Que cuando toméis dinero no lo devolváis; que-
daos con lo que es vuestro. Y cuando venga un
tío ladrón con el aquel de cobranza..., cantazo
limpio... (p. 226).

La revolución social es justificada por la madre,
el maestro y cura de Boñices con textos de los Santos Padres:

> Los ricos avaros son ladrones que asaltan
> los caminos públicos, despojan a los pasajeros
> y convierten sus casas en cavernas donde ocul-
> tan los tesoros de otros [San Juan Crisóstomo].
> Cuando damos con qué subsistir a los que
> están en necesidad no les damos lo que es
> nuestro; les damos lo que es suyo [San Ba-
> silio].
> Cualquiera que posea la tierra es infiel a la
> ley de Jesucristo [San Agustín].
> La tierra ha sido dada en común a todos los
> hombres. Nadie puede llamarse propietario de
> lo que le queda después de haber satisfecho
> sus necesidades naturales [San Ambrosio].
> Hombre codicioso, devuelve a tu hermano
> lo que le has arrebatado injustamente [San
> Gregorio].
> El que pretenda hacerse dueño de todo, po-

seerlo por entero, y excluir a sus semejantes de la tercera o cuarta parte, no es un hermano, sino un tirano, un bárbaro cruel, o por mejor decir, una bestia feroz [San Gregorio] (páginas 227-228) (72).

De «anarquismo senil» ha calificado Hinterhäuser éstas y otras ideas semejantes de Galdós (73). Dudo que así sea, que haya *senilidad* en quien en 1912, cuatro años después de escrito *El caballero encan-*

---

(72) Para Regalado García (*op. cit.*, p. 490), estas citas señalan, precisamente, el reaccionarismo de Galdós. Conviene tener en cuenta lo dicho por Tuñón de Lara (*op. cit.*, p. 25) acerca de ciertos críticos: «El "ultraizquierdismo", en el análisis cultural, como en todo, sólo conduce a un narcisismo inoperante y a un esquematismo empobrecedor.» No se olvide, por otra parte, cómo termina el episodio: «Si no os convencieran los Santísimos Padres, acordaos de lo que decía la tía Rocacha, de Barahona: "En la sopa del judío mete tu cuchara y di: lo tuyo es mío"» (p. 228). Es evidente, por otro lado, que en ciertos contextos resulta más efectista y *revolucionario* acudir a las autoridades cristianas que no a las marxistas. Gustavo Correa señala (*op. cit.*, p. 225, nota), que «Galdós pudo haber conocido estas doctrinas sociales del cristianismo en sus primeros años a través del estudio de Pedro P. de la Sala "Doctrinas socialistas del pueblo cristiano", en *Revista Contemporánea,* IV (1878), pp. 271-290, y V (1879), pp. 83-110». También en *Colectivismo agrario* (1898), de Joaquín Costa, hay citas de los Santos Padres contra la propiedad (cf. *Oligarquía y caciquismo. Colectivismo agrario,* ed. Alianza Editorial, Madrid, 1967, pp. 63-64). En 1893 y en la Asamblea de Agricultores de Barbastro, presidida por Costa, las pancartas de los representantes del pueblo de Villacarlí llevaban frases como éstas: «La libertad del hombre está en sus riquezas; el pobre sucumbe siempre, sin que haya para él ni ley ni justicia. Vale más morirse que vivir en la indigencia: Proverbios, xiii, 8; Eccles., xiii, 4, xl, 29» (*apud* Enrique Tierno Galván, *Costa y el regeneracionismo,* Barcelona, 1961, p. 193). No falta en *El caballero encantado,* por otra parte, el odio de clases; cf. pp. 226-227, 299-300.

(73) *Op. cit.*, p. 215.

tado, terminaba de esta forma sus *Episodios Nacionales*, con párrafo tan conocido como imprescindible:

Alarmante es la palabra revolución. Pero si no inventáis otra menos aterradora no tendréis más remedio que usarla los que no queráis morir de la honda caquexia que invade el cansado cuerpo de tu Nación. Declaraos revolucionarios, díscolos, si os parece mejor esta palabra; contumaces en la rebeldía. En la situación a que llegaréis andando los años, el ideal revolucionario, la actitud indómita si queréis, constituirán el único síntoma de vida. Siga el lenguaje de los bobos llamando paz a lo que en realidad es consunción y acabamiento... Sed constantes en la protesta, sed viriles... (74).

El caballero encantado se entronca, como casi todo lo escrito por Galdós en sus últimos años, con la literatura y la ideología regeneracionistas (75), tan abundante incluso antes de 1898. Uno de los

---

(74) *Cánovas, OC*, III, p. 1377. Véase también este texto de *Casandra* (1905; ed. cit., pp. 206-207): «chillaré, alborotaré contra los Dioses Ricos y Pobres... Voy, voy a eso... no puedo contenerme. Reclutaré todos los desesperados que encuentre, y han de ser muchos, porque estamos en la tierra de la desesperación... Me declaro revolucionario callejero entre tantos que lo son y no se atreven a mostrarlo fuera de sus casas; soy rebelde que chilla, para ejemplo de los miles de rebeldes solapados que callan... Yo gritaré: ¡Abajo las fortalezas de injusticia y opresión, llámense leyes, tronos o altares! ¡Arriba nosotros, la turba, los desesperados, los desengañados!» ¿No recuerda este final la primera estrofa de *La Internacional?*
(75) Cf., por ejemplo, Regalado García, *op. cit.*, pp. 312 y 467.

textos más importantes a este respecto es el libro de Lucas Mallada *Los males de la patria y la futura revolución española* (Madrid, 1890) (76), considerado por *Azorín* como «el libro más representativo del momento» (77). Que Galdós conocía el ensayo de Mallada parece evidente tras una sencilla comparación, e incluso que lo tuvo presente al redactar *El caballero encantado*. En efecto, las consideraciones acerca de la aridez y abandono del suelo español (Mallada, pp. 18-20), la triste situación de la agricultura, la emigración, la pobreza e ignorancia de los campesinos (*ibid.*, pp. 48, 62 y ss., 81-125) (78), el caciquismo (*ibid.*, pp. 169-171), todo ello y más, y es común a Mallada y a Galdós. Fuera ya de *El ca-*

---

(76) Hay edición moderna (Madrid, 1969); cf. Tierno Galván, *op. cit.*, pp. 31-45.

(77) *Apud* Francisco J. Flores Arroyuelo, prólogo a la ed. citada en la nota anterior, p. 7.

(78) Cf., por ejemplo, Mallada, *op. cit.*, pp. 161-162, y compárese con lo dicho más arriba acerca del campesinado visto en *El caballero encantado*: «Harto digno de lástima es el pobre gañán que cava y suda todo el día por mezquino salario con el que apenas alcanza miserable alimento, reducido a perpetua pobreza y desnudez, sin auxilio de alma nacida las temporadas en que no consigue trabajo, o en cuanto una enfermedad le acomete, sin el recurso de una cama del más humilde hospital donde exhalar el último suspiro. Harto digno de lástima es el infeliz labriego que, con enjuto rostro y lánguida mirada, entrega al Fisco su última peseta, sin quedarse siquiera un pedazo de pan de centeno con que dar de comer a sus hijos... Los labradores españoles son los seres más desgraciados del mundo; y para que su infortunio sea completo, ni pueden consolarse con ver señales de redención ni la más ligera esperanza de alivio. La desesperación y la amargura se apoderaron de sus abatidos corazones, y claramente distinguen que les tocó nacer en la patria más infeliz. Imposibilitados y sin aliento para rebelarse, pues ni encuentran tela de color a propósito para alzar bandera, no pueden hacer cosa mejor que emigrar.»

ballero encantado continúan las semejanzas. Así, cuando Mallada critica el tradicional «misticismo» y «senequismo» hispanos:

¡Desdichado país, a quien condenó la Providencia a perpetuar vigilias y prolongados ayunos, cuando no por el fanatismo religioso, por la flojedad de cuerpo y la pobreza de espíritu! (página 144),

Galdós no anda muy lejos, al tronar contra el ascetismo y la sobriedad («Soñemos, alma, soñemos», en *Memoranda*, ed. cit., p. 238; «¿Más paciencia?», ibídem, pp. 254-255) (79). Y lo mismo sucede con otros textos regeneracionistas y de notorio influjo en la época, entre ellos, y de manera especial, *El problema nacional* (Madrid, 1899), de Macías Picavea (80); *Del desastre nacional y sus causas* (Madrid, 1899), de Damián Isern, y *La moral de la derrota* (Madrid, 1900), de Luis Morote (81).

---

(79) En 1906, Joaquín Costa hizo pública una nota acerca de «La pobreza como fuente de esclavitud y de delito según la Biblia», que encerraba conceptos semejantes; cf. Tierno Galván, *op. cit.*, p. 176.

(80) Picavea es autor de una novela, *Tierra de Campos*, «construida sobre el esquema de·*Doña Perfecta*, de Galdós, hacia quien el autor sentía una admiración ilimitada» (Tierno Galván, *ibid.*, p. 45).

(81) Cf. sobre todos ellos Tierno Galván, *op. cit.*, pp. 45-88, y, en términos generales, Juan López Morillas, «Preludio del 98 y literatura del desastre», *MLN*, LXXVII (1962), 163-177. *Azorín* ha hecho importantes observaciones acerca del regeneracionismo y sus conexiones con su generación («La generación de 1898», en *Clásicos y modernos*, Madrid, 1919, pp. 241-248). Hasta qué punto la literatura regeneracionista fue popular lo demuestra el siguiente «anuncio» aparecido en 1898: «La regeneradora. Pomada fortificante para países debilitados. El

Pero el gran modelo regeneracionista es para Galdós Joaquín Costa, que en 1898 había publicado su *Colectivismo agrario en España;* en 1900, *Reconstitución y europeización de España,* y en 1901, llevado a cabo la importante encuesta en el Ateneo de Madrid sobre *Oligarquía y caciquismo,* publicada al año siguiente. Inútil sería confrontar sistemáticamente *El caballero encantado* y las otras obras escritas por Galdós desde principios de siglo con todo lo citado de Costa (82), y especialmente con *Oligarquía y caciquismo* (83), pues es obvio que las ideas básicas del aragonés son utilizadas abundantemente por Galdós. El papel del maestro, del árbol y del agua en la regeneración del país; el análisis de la situación campesina, de los partidos políticos, del caciquismo y de tantas cosas más aparecen tanto en *El caballero encantado* como en otras novelas galdosianas. Veamos, con todo, algunos pasajes significativos. Acerca de la miseria del campesinado, dice Costa ya en 1880:

> ¿Qué mejor estadística que esos cuerpos demacrados, macilentos, cubiertos de harapos y

país que no engorda es por su gusto. Se da razón de los médicos, apóstoles y saludadores más acreditados» (*apud* Melchor Fernández Almagro, *Historia política de la España contemporánea,* II, Madrid, 1959, 611). Se trata de un nuevo florecimiento de los famosos arbitristas del siglo XVII, época también de grave crisis nacional.

(82) Cf. Regalado García, *op. cit.,* pp. 352 y ss., y 385-386, para la influencia de Costa en la última serie de los *Episodios Nacionales.*

(83) Cf. Robert Ricard, *Aspects de Galdós* (París, 1963), p. 88. Curiosamente, sin embargo, Galdós no contestó a la encuesta recién mencionada; cf. J. Blanquat, «Au temps d'*Electra*», pp. 280-281.

de inmundicia, procesiones de espectros que desfilan tristemente por los encendidos campos de la península, manadas de siervos del fisco y del terruño, que arrastran una vida peor que la de las bestias...? (84).

Sobre el trabajo hace Costa este elogio, tan parecido a otros ya mencionados de Galdós:

El honor y la seguridad de la Nación no se hallan hoy en manos de los soldados; están en manos de los que aran la tierra, de los que cavan la viña, de los que plantan el naranjo, de los que arrancan el mineral, de los que forjan el hierro, de los que conducen el tren... (85).

---

(84) Discurso ante el Consejo de Agricultores y Ganaderos (Madrid, 15-V-1880); *apud* Tierno Galván, *op. cit.*, p. 151. Véase también el siguiente párrafo de *Azorín*, de contenido tan semejante a lo ya visto de Costa y Galdós: «Mientras en las Cortes se pronuncian grandilocuentes oraciones, millares y millares de españoles abandonan las campiñas nativas. No puede comer el obrero del campo; sus jornales son exiguos; las sequías, las plagas de la vid y los frutales, la pérdida de las cosechas, las crisis agrarias, hacen que muchedumbres de labriegos queden sin trabajo. Aun en situación normal, su vida es imposible. No prueban la mayoría de nuestros campesinos jamás la carne; vino, rara vez lo beben; verduras y pan bazo —y no en larga proporción— es la alimentación campesina habitual. La tuberculosis —consecuencia de la inanición— hace horribles estragos entre los jornaleros agrarios: fláccidos, extenuados, pálidos, exangües, les hemos contemplado en Levante, en Castilla y en Andalucía. Casi desiertas están muchas provincias españolas... Leguas y leguas se recorren de territorio español sin encontrar un árbol, una fuente, una casa...» («La conquista de España», en *Clásicos y modernos*, ed. cit., p. 96). Cf., del propio *Azorín*, «Joaquín Costa» (*ibid.*, p. 210), en donde las conexiones de ambos autores, en cuanto al tema campesino, resultan evidentes. Véase R. Pérez de la Dehesa, *El pensamiento de Costa y su influencia en el 98* (Madrid, 1966).
(85) «O liga o partido», conferencia pronunciada en la

Y este anuncio de revolución agraria, semejante al de Boñices:

Las hoces no deben emplearse nunca más que en segar mieses; pero es preciso que los que las manejan sepan que sirven también para segar otras cosas, si además de segadores quieren ser ciudadanos... Mientras no se extirpe al cacique no se habrá hecho la revolución (86).

Como contrapartida, basten algunas citas costistas de Galdós:

Necesitamos instrucción para nuestros entendimientos y agua para nuestros campos («Soñemos, alma, soñemos», ed. cit., p. 242).

En Bórox no se conocía el árbol; había una sola fuente, y el agua de ésta no servía para cocer los garbanzos; utilizábase en tales usos la que brotaba de un manantial distante cinco kilómetros del pueblo... *(Cánovas,* ed. cit., página 1351).

Castilla aparece

mal poblada de árboles y de hombres, mísera y cansada tierra *(El caballero encantado,* página 99) (87).

Asociación de la Prensa de Madrid (19-XII-1898); *apud* Tierno Galván, *op. cit.,* p. 221.

(86) De *Oligarquía y caciquismo,* ed. cit., pp. 32-33.

(87) Véase Regalado García, *op. cit.,* pp. 474-477, para otras relaciones de *El caballero encantado* con el Costa agrario. En el prólogo de Galdós a *Vieja España* (Madrid, 1907), de José

El 16 de agosto de 1898, Francisco Silvela publicaba en *El Tiempo*, de Madrid, un artículo que habría de hacerse famoso, «Sin pulso» (88). Desde entonces, un tópico regeneracionista será la consideración de una España enferma, incluso muerta; no hay texto de la época que no incluya tal comparación (89). También en Galdós. En *El caballero encantado* se habla del «espíritu enfermo, envejecido»

María Salaverría, es notorio el reflejo de otro pensamiento de Costa. Galdós sugiere el siguiente epitafio para la tumba del Cid: «Aquí yacemos dormidos / yo el buen Cid y mi Jimena. / Non me guarden con cerrojos, / ni me aferren con cadenas, / que por mucho que me llamen / no he de salir de esta fuesa. / Terminó su curso el sol / de mis sonadas proezas, / y las batallas que a España / han de dar prestancia nueva / non se ganan con Tizonas, / ni Coladas ni Babiecas» (*apud* Shoemaker, *Los prólogos de Galdós*, pp. 82-83). Compárese este texto con el siguiente de *El caballero encantado* (pp. 221-222), en que Rodrigo Díaz aparece sustituido por Santiago Matamoros: «Amiga he sido del Apóstol Santiago; pero hace siglos que el buen señor ni me visita ni de mí se deja ver en ninguna parte. En mi casa le tengo pintado en una lámina vetusta, y si hablo con él es tan sólo para decirle: "caballero mío, descansa en tu fuesa, si es que en ella yace tu santo cuerpo, y pon tu corcel blanco a tirar de un carro, que sólo para eso sirve ya...".»

(88) Puede verse en Fernández Almagro, *op. cit.*, II, 866.

(89) Véase a qué extremos conducía la popularidad del tópico —que, en rigor, viene de más atrás, pues en el *Idearium español* (1896), de Angel Ganivet, consta ya; utiliza la ed. de Madrid, Aguilar, 1964; cf. pp. 124-126—: «El que suscribe, doctor en Medicina, senador, etc., Certifica: que la nación española convalece de tres amputaciones coloniales tardías, complicadas con un estado crónico de *aurorragia* por la ignorante codicia de los ricos, con amagos de *frailoplegía*, también por el justificado temor de estos mismos al infierno y a los anarquistas; con *indisciplina* de levita, con envidia contagiosa y con una extraña *emancipalgia* histérica accesional precisamente en las regiones mejor nutridas; males todos ellos que, a pesar de su gravedad, en pueblos fuertes como el nuestro, pueden curarse con sólo paz, paz, paz e instrucción, instrucción e instrucción...» Se trata de la respuesta del cirujano Alejandro San Martín a una encuesta de *Blanco y Negro* (5-I-1904); *apud* Fernández Almagro, *op. cit.*, II, 617-618, nota.

140

de Tarsis-Gil (p. 97), que junto con la Madre-Mariclío-España morirá —a manos de la Guardia Civil—
para resucitar después (pp. 315, 330, 340) (90). Por
si las cosas no estuvieran suficientemente claras, se
habla distintamente de la *regeneración* de Tarsis-
Gil (p. 205). Para conseguir ésta hay que ser «hombres, no muñecos de resortes gastados» (p. 342). El
futuro, pues, tras de esa regeneración y *cura* (páginas 332, 335), será, necesariamente, mejor (páginas 106, 171, 204, 206, 321, 344, 348), incluso esplendoroso, en que España e Hispanoamérica —Tarsis-
Gil y Cintia— unirán sus destinos en un camino
común (p. 347). Uno de los pecados iniciales del héroe de *El caballero encantado* fue su radical escepticismo y pesimismo, típico de buena parte de la
literatura regeneracionista, actitud criticada violentamente por el propio Galdós:

nos ha[n] traído a un estado de temblor y an-
siedad continuos; nadie se atreve a dar un paso
por miedo de caerse. Pensamos demasiado en
nuestra debilidad, y acabamos por padecerla...
No sería malo suspender la crítica negativa, de-
dicándonos todos, aunque ello parezca extraño, a infundir ánimos al enfermo, diciéndole:
«Tu debilidad no es más que pereza, y tu ane-
mia proviene del sedentarismo. Levántate y
anda; tu naturaleza es fuerte: el miedo la en-

(90) En sus últimos *Episodios* recurre varias veces Galdós
a este tópico de la España enferma: *Amadeo I* (*OC*, III, p. 1080);
De Cartago a Sagunto (*ibid.*, pp. 1268, 1281); *Cánovas* (*ibid.*,
pp. 1319, 1363, 1377). Y anteriormente en su extenso artículo
«La España de hoy» (*Heraldo de Madrid*, 9-IV-1901).

gaña» (prólogo a la tercera edición de *La regenta*, de *Clarín* —1901—, apud *Memoranda*, edición cit., pp. 120-121).

El pesimismo que la España caduca nos predica para prepararnos a un deshonroso morir ha generalizado una idea falsa. La catástrofe del 98 sugiere a muchos la idea de un inmenso bajón de la raza y de su energía... («Soñemos, alma, soñemos», ed. cit., p. 239) (91).

---

(91) Ya en 1900 había pronunciado Galdós un importante discurso ante la colonia canaria de Madrid en que atacaba violentamente el pesimismo, la abulia y la falta de fe de la época: «Contra ese pesimismo, que viene a ser, si en ello nos fijamos, una forma de la pereza, debemos protestar confirmando nuestra fe en el derecho y en la justicia, negando que sea la violencia la única ley de los tiempos presentes y próximos... No seamos jactanciosos, pero tampoco agoreros, siniestros y fatídicos» (*apud* J. Blanquat, «Au temps d'*Electra*», p. 281, nota; cf. también Berkowitz, *op. cit.*, pp. 305-307; el discurso fue publicado en septiembre de 1930 por el *Diario de Las Palmas*, y reeditado por Armas Ayala bajo el título de *La fe nacional*, Las Palmas, 1965). Curiosamente coincide Galdós con Ramón y Cajal en esta reacción positiva frente al pesimismo nacional: «No; digan cuanto gusten derrotistas y augures pusilánimes, el ímpetu de nuestra raza no se extingue fácilmente. Padecerá eclipses, atonías, postraciones, como las han padecido otros pueblos...» (*apud* Fernández Almagro, *op. cit.*, II, 617). Sin embargo, con el paso del tiempo, Galdós parece caer en ese pesimismo que con tanto ardor combatía todavía en 1909, mas nótese en el párrafo citado inmediatamente que el novelista se refiere a los políticos y a la política habituales. En efecto, en *Cánovas* (1912), escribe: «Los dos partidos que se han concordado para turnar pacíficamente en el Poder, son dos manadas de hombres que no aspiran más que a pastar en el presupuesto. Carecen de ideales; ningún fin elevado les mueve; no mejorarán en lo más mínimo las condiciones de vida de esta infeliz raza, pobrísima y analfabeta. Pasarán unos tras otros, dejando todo como hoy se halla, y llevarán a España a un estado de consunción que, de fijo, ha de acabar en muerte... Si nada se puede esperar de las turbas monárquicas, tampoco debemos tener fe en la grey revolucionaria... No creo ni en los revolucionarios de nuevo cuño, ni en los antediluvianos, esos que ya chillaban

Se integra así Galdós en la corriente regeneracionista, pero con las debidas distancias, marcadas por su rechazo del pesimismo negativista de aquélla. Y por algo más: Galdós jamás podrá ser tildado de prefascista ni autoritario, como lo han sido los regeneracionistas, incluido Joaquín Costa (92), por partir «de una total distanciación del pueblo, al que se considera como menor de edad» (93). Pues la fe de Galdós en ese pueblo parece inagotable y salvadora. Más arriba he mencionado algunos textos pertinentes; baste ahora citar el siguiente, tomado de *Cánovas* (ed. cit., p. 1350):

> Sólo te digo que el pueblo hace las guerras y la paz, la política y la historia, y también hace la poesía.

Son las clases directoras, los oligarcas y los políticos, los culpables de la situación, al igual que pensaba Ramón y Cajal:

> En la guerra con los Estados Unidos no fracasó el soldado, ni el pueblo, que dio cuanto se le pidió, sino un gobierno imprevisor... (94).

---

en los años anteriores al 68. La España que aspira a un cambio radical y violento de la política se está quedando, a mi entender, tan anémica como la otra. Han de pasar años, lustros tal vez, quizá medio siglo largo, antes de que este régimen, atacado de tuberculosis étnica, sea sustituido por otro que traiga nueva sangre y nuevos focos de lumbre mental.» Recuérdese la fecha de estas palabras: 1912. ¿Era Galdós profeta?

(92) Esta es la tesis de Tierno Galván en su libro ya citado, *Costa y el regeneracionismo*.

(93) Tuñón de Lara, *op. cit.*, p. 64.

(94) *Apud* Fernández Almagro, *op. cit.*, loc. cit.

Las conexiones existentes entre Galdós y la generación del 98 han sido tratadas repetida, si bien superficialmente, por la crítica (95). Varios datos permiten empezar por lo más elemental, es decir, por señalar, más allá de los conocidos epítetos garbanceriles, el respeto que los escritores del 98 sentían por el autor de *El caballero encantado,* pues

cuando se habla de los precursores de la generación del 98 se omite a menudo el nombre de Galdós; partiendo de un insuficiente examen de la cuestión, algunos equiparan actitudes muy diversas y piensan que los noventayochistas son antigaldosianos (96).

Véase como ejemplo de lo contrario lo dicho por *Azorín* ante el estreno de *Electra:*

Yo contemplo en esta divina *Electra* el símbolo de la España rediviva y moderna. Ved cómo poco a poco la vieja patria retorna de su ensueño místico y va abriéndose a las grandes iniciativas del trabajo y la ciencia, y ved cómo

---

(95) Berkowitz, *op. cit.,* pp. 383-387; Gullón, *op. cit.,* pp. 136-140; Eoff, *op. cit.,* p. 166; Tuñón de Lara, *op. cit.,* p. 105; Vicente Lloréns, «Galdós y la burguesía», *AG,* III (1968), 56. Y, más específicamente, Berkowitz, «Galdós and the Generation of 1898», *PHQ,* XXI (1942), 107-120; José María Monner Sans, «Galdós y la generación del 98», *Cursos y Conferencias,* XXIV (octubre-diciembre 1943), 57-85; Correa, «El sentido de lo hispánico, en *El caballero encantado,* de Pérez Galdós y la generación del 98», *Thesaurus,* XVIII (1963), 14-28: incluido en el libro cit., *Realidad, ficción y símbolo...*
(96) Gullón, *op. cit.,* p. 136. Regalado García es de los que piensa en el antigaldosianismo del 98, *op. cit.,* pp. 215, 277-279.

poco a poco va del convento a la fábrica y del altar al yunque. Saludemos la nueva religión: Galdós es su profeta; el estruendo de los talleres, su himno; las llamaradas de las forjas, sus luminarias (97).

Para Inman Fox, con *Electra*

Galdós ha surgido también, al menos temporalmente, como líder espiritual de la generación de 1898, y la revista *Electra* (fundada por él el 98) se convierte en la primera que consolida a la generación (98).

Más dificultoso resulta delimitar cómo y de qué manera Galdós influye en la generación del 98, y a

---

(97) *Apud* E. Inman Fox, «Galdós' *Electra*. A Detailed Study of Its Historical Significance and the Polemic Between Martínez Ruiz and Maeztu», *AG*, I (1966), 137.

(98) *Ibid.*, p. 140; cf. también Berkowitz, art. cit., pp. 110-111. El triunfal estreno de *El abuelo*, en 1904, originó un nuevo reagrupamiento noventayochista en torno a Galdós, homenajeado con espectacular banquete; cf. Berkowitz, *ibid.*, p. 112. Incluso Pío Baroja elogia en 1899 y 1900 a Galdós: «el único verdaderamente grande y abierto de nuestros escritores, ha podido dar un impulso a la literatura española, dirigiéndole hacia los nuevos principios, tal como lo han comprobado las obras de su última evolución hacia un misticismo idealista»; «Pérez Galdós, espíritu español meditativo, tan poco conocido fuera de España, es uno de los escritores españoles mejor dotados de una gran facultad evocadora y de una admirable agudeza de observación. Sus personajes están tomados de la realidad; hablan como nosotros, tienen nuestras faltas y defectos, y son, sobre todo, reales, al mismo tiempo que ficticios. Galdós es la encarnación del espíritu de Dickens en España» (*apud* Rafael Pérez de la Dehesa, «Baroja, crítico de la literatura española en 1899 y 1900», *PSA*, nov. 1968, pp. 139 y 141; ambos textos proceden de sendos artículos de Baroja publicados en *L'Humanité Nouvelle*, III, 2, 1899, y IV, 1, 1900). Sobre el Baroja antigaldosiano —el conocido—, cf. Monner Sans, art. cit., pp. 70-71.

la inversa, de qué forma los noventayochistas ejercen su influencia en el último Galdós. Pues ambas cosas parecen obvias, si bien es tema que no ha sido convenientemente estudiado todavía. He de limitarme aquí a señalar algunas de esas influencias mutuas, con referencia especial a *El caballero encantado*. Sabemos ya cuál es el hilo argumental de la novela, pero es preciso recordar que lo que llevan a cabo los héroes de la misma es una auténtica peregrinación en busca de la regeneración personal y nacional:

> Esta preocupación fundamental por encontrar la España auténtica y por fijarse un derrotero que conduzca a formas superadas de la vida nacional va a convertirse en *El caballero encantado* en una sistemática busca de la realidad, por la vía simbólica de un viaje a través de la geografía e historia de la nación (99).

Esa regeneración incluye algo que será típico del 98: el problema de la voluntad frente a la abulia (100):

> Todo nos llama al descanso, a la pasividad, a dejar correr los días sin intentar cosa alguna que parezca lucha con la inercia hispánica (p. 35);

---

(99) Correa, *op. cit.*, p. 220.
(100) Cf. el ya clásico estudio de D. King Arjona, «*Voluntad and Abulia* in Contemporary Spanish Ideology», *RH*, LXXIV (1928), 573-672.

los que por hablar demasiado ahogaron en
océanos de palabras la voluntad y el pensamiento de la vida hispánica (p. 336);

la Madre impone su corrección a sus hijos bien
dotados de inteligencia, y que sufren de pereza
mental o de relajación de la voluntad (p. 346).

Viaje simbólico el de los personajes de *El caballero encantado* —y real al propio tiempo—, que nos
hace pensar en los llevados a cabo por los escritores del 98 y por el propio Galdós. Pues, en efecto,
gustaba éste de recorrer el país en tercera —«siempre sobre la madera / de mi vagón de tercera», diría Antonio Machado (101)—. La expresión literaria
de tales andanzas abunda en la obra galdosiana; así,
en *Memoranda* (Madrid, 1906; pp. 73-118, sobre Can-
tabria), *Toledo* (Madrid, 1924; *Obras inéditas*); así,
en sus prólogos a libros de viajes: *Vieja España*
(Madrid, 1907), de José María de Salaverría (102), y
Viajando por España (Madrid, 1912), de Emilio Bobadilla *(Fray Candil)* (103), y dejando aparte los

---

(101) En el ya citado prólogo de Galdós al mencionado libro
de Salaverría, dice aquél: «Algo he corrido por esta meseta
histórica, en carricoche o en tercera de trenes mixtos, aunque
no tanto como quisiera. Las posadas y la clase tercera del
ferrocarril son excelente posición para hablar directamente con
la raza» (*apud* Shoemaker, *Los prólogos de Galdós*, p. 84). El
propio Salaverría anota, de una conversación con Galdós, las
siguientes palabras del novelista: «En vagón de tercera es como
se llega más pronto al alma de las cosas; un país como Castilla
debe observarse desde abajo, desde sus entrañas. Yo he sido
práctico en eso...» (J. M. Salaverría, *Nuevos retratos*, Madrid,
1930, p. 11). Cf. Berkowitz, *op. cit.*, pp. 110-111.
(102) Cf. Correa, *op. cit.*, p. 226, nota, acerca de la posible
influencia de Salaverría en Galdós.
(103) De este prólogo son las siguientes palabras: «El mayor

textos dedicados a tierras extrapeninsulares. Resulta harto significativo que, como señala W. R. Shoemaker (104), «de las ocho obras de Galdós que poseía don Miguel de Unamuno... seis son *Episodios Nacionales* y las otras dos son los prólogos a libros de viajes»: los de Salaverría y Bobadilla. *Por tierras de Portugal y España* (1907-1909) y *Andanzas y visiones españolas* (1922) son libros unamunianos muy próximos al espíritu crítico-viajero de Galdós. *El caballero encantado* es un verdadero curso de geografía castellana, pero es preciso tener en cuenta la advertencia hecha por el propio Galdós:

> Los nombres de senderos y lugares, absolutamente castizos, se emplean aquí con criterio convencional, prescindiendo del rigor geográfico (p. 75, nota) (105).

gusto mío es viajar por España y ser huésped de las ciudades gloriosas revolviéndolas de punta a punta, y persiguiendo en ellas la intensa poesía histórica, recorrer después las villas y aldeas, los lugares desolados que fueron campos de sucesos memorables, ya verídicos, ya mentirosos; habitar entre la gente humilde, que es hoy reliquia preciosa de los pobladores de aquellas tierras y caseríos; ver de cerca los hombres y las piedras y hablar con unos y otras, buscando en las fuentes que antes manaron la vida histórica los elementos de una nueva y esplendorosa corriente vital» (*apud* Shoemaker, *op. cit.*, página 101). Compárese esto con lo recordado por *Azorín* (*Los clásicos redivivos. Los clásicos futuros*, Buenos Aires, Austral, 1950, p. 107) de una conversación con Galdós en 1905, acerca de viajes comunes por Castilla.

(104) *Los prólogos de Galdós*, p. 32.

(105) No siempre sucede así, sin embargo. Por ejemplo, el camino recorrido por los personajes desde Agreda a Calatañazor, pasando por Soria (pp. 131-156, 186-189), corresponde a la realidad geográfica. Por otra parte, y sin descartar el más que posible conocimiento directo que Galdós parece tener de dicho itinerario, resulta evidente que una de sus fuentes fue el *Diccionario geográfico-estadístico-histórico de España y sus pose-*

Y junto a los viajes, naturalmente, el paisaje:

Gil veía extenderse hasta lo infinito la llana-
da de Castilla, inmenso blasón con cuarteles
verdes franjeados de bordadura parda, cuarteles de oro con losanges de gules, que eran el
rojo de las amapolas. En medio de este campo
iluminado de tan nobles colorines aparecían
desperdigados en la lejanía pueblecillos de aspecto terroso, con altas y puntiagudas torres,
como velas de fantásticos bajeles que navega-
ban hacia el horizonte (pp. 76-77).

---

siones de *Ultramar*, de Pascual Madoz. Los datos que sobre
Agreda constan en *El caballero encantado* (pp. 111-124, especial-
men e), coinciden con otros tantos del dicho *Diccionario* (I,
Madrid, 3.ª, 109-111): los nombres primitivos de la villa; los
parad>res semiabandonados de los alrededores; la *Dehesa*, sitio
de esparcimiento con sus prados y árboles; la famosa fuente
que entre ellos brota; los conventos de clausura; el río Queiles...
Lo mismo sucede con *Catalañazor* (*El caballero encantado*, páginas 185-194; Madoz, V, Madrid, 1849, 3.ª, 253-254): el ruinoso
castillo; la monumental iglesia; el riachuelo que corre al pie
de la aldea; la escabrosa situación de ésta, en escarpado cerro...
Los datos históricos que sobre Numancia anota Galdós, así
como acerca de las excavaciones emprendidas (pp. 150-183)
también coinciden con los de Madoz (XII, Madrid, 1849, 3.ª,
196-200). Mas es muy posible que en este último caso Galdós
utilizara estudios más cercanos a él y mencionados por Regalado García (*op. cit.*, p. 479, nota): «Numancia», de Adolfo Schul-
ten (*Cultura Española*, IV, nov. 1906, 117-128); *Iberia arqueológi-
ca ante-romana* (Madrid, 1906), y *Excavaciones de Numancia*
(Madrid, 1908), de José Ramón Mélida, libros estos que Galdós
poseía (cf. Berkowitz, *La biblioteca de Benito Pérez Galdós*,
Las Palmas, 1951, p. 85). Difiere en cambio Galdós totalmente
del *Diccionario* de Madoz en su descripción de Boñices (*El caballero encantado*, pp. 213-218; Madoz, IV, *ibid.*, pp. 399-400).
Para el primero se trata de miserable aldea de calles angostas
y empinadas, «como ramblas», con proximidad de aguas es-
tancadas, germen de enfermedades epidémicas; según Madoz,
Boñices se halla «situada en llano... su clima es sano y no se
conocen enfermedades especiales».

Por esa parte adonde el sol se pone ves mi cuenca de Arlanza, hoy mal poblada de árboles y de hombres, mísera y cansada tierra. Pues así como la ves, pobrecita y escuálida, es la primera en mis idolatrías de Madre; es mi epopeya; es creadora de mis potentes hombres; es la que amamantó mis vigorosas voluntades (página 99) (106).

Son párrafos que traen a la memoria conocidos versos de Antonio Machado, aquellos en que el poeta, al describir las tierras de Soria, las ve como piezas esparcidas de un viejo arnés guerrero, llenas de historia adormecida. Estamos ante un paisaje semejante al que hizo exclamar así a Angel Guerra:

¡Cuánto me gusta este paisaje severo que expresa la idea de meditación, de quietud propicia a las fluorescencias del espíritu! (107).

---

(106) Cf. también p. 103 —luna llena en Castilla— y 189, Catalañazor. En el ya citado prólogo al libro de Salaverría —prólogo de extraordinario interés— dice Galdós algo muy próximo a los dos párrafos recién anotados de *El caballero encantado*: «Entre la Mota y Madrigal... es la perfecta planimetría sin accidentes, como un mar convertido en tierra... En aquel mar endurecido, la torre de Rubí, la de Pozaldez y las que lejanas se ven a un lado y otro, parecen velámenes de barcos que han quedado inmóviles al petrificarse en el mar en que navegan. El campo era en aquellos días, de primavera lluviosa, verdegueante y encharcado a trechos, con gragea de amapolas como gotas de sangre» (*apud* Shoemaker, *op. cit.*, p. 86); «Del lado de acá, los montes dan nacimiento al Arlanza... A su paso hablan y cantan Silos, Salas, San Pedro de Arlanza, Covarrubias, y vienen del otro mundo, encarnadas en versos sonoros, las ánimas de los Infantes de Lara, de Mudarra y de Fernán González...» (*ibid.*, p. 80).
(107) *Angel Guerra, OC*, V (Madrid, 1961), 1345. Compárese

Este texto de 1890-1891 es hermano gemelo de tantos otros del 98, de Unamuno, y de nuevo, y más especialmente, de Antonio Machado. Pero existe un precioso pasaje galdosiano de 1904 que, pese a su extensión, es preciso tener muy en cuenta aquí:

Atravesando en la diligencia las estepas de Castilla, no se cansaba Teresa de contemplar las tierras pardas, sin vegetación, a trechos labradas para la próxima siembra; entreteníase mirando y distinguiendo los tonos diferentes de aquella tierra esquilmada, madre generosa que viene dando de comer a la raza desde los tiempos más remotos, sin que un eficaz cultivo reconstituya su savia o su sangre. Miraba los pueblos pardos como el suelo, las mezquinas casas formando corrillo en torno a un petulante campanario... Ni amenidad, ni frescura, ni risueños prados veía, y, no obstante, todo le interesaba por ser suyo, y en todo ponía su cariño, como si hubiera nacido en aquellas casuchas tristes y jugado de niña en los ejidos polvorosos. Las mujeres, vestidas con justillo y con verdes o negros refajos, atraían su atención. Sentía piedad de verlas desmedradas, consumidas prematuramente por las inclemencias

con lo siguiente, del prólogo al repetido libro de Salaverría: «Es el paisaje elemental, el descanso de los ojos y el suplicio de la imaginación» (*apud* Shoemaker, *ibid.*, p. 86); «El alma del viajero se adormece en dulce pereza. Por un camino psicológico, igualmente rectilíneo, se va al ascetismo y al desprecio de todos los goces» (*ibid.*, loc. cit.); «El hombre se siente ciudadano del país intuitivo, *del mirar en sí*» (*ibid.*, p. 87).

de la Naturaleza en suelo tan duro y trabajoso. Bajo las huecas sayas asomaban negras piernas enflaquecidas. Los hombres, avellanados, zancudos, con su seriedad de hidalgos venidos a menos, parecían llorar grandezas perdidas. Todo lo vio y admiró Teresa, ardiendo en piedad de aquella desdichada gente que tan mal vivía, esclava del terruño y juguete de la desdeñosa autoridad de los poderosos de las ciudades. Por todo el camino, a través de las llanadas melancólicas, de las sierras calvas, de los montes graníticos, iba empapando su mente en esta compasión de la España pobre (108).

Es, en efecto, en sus novelas posteriores a 1898 cuando Galdós, el novelista del paisaje urbano,

hace un serio esfuerzo por describir el paisaje natural de España y, en particular, el de Castilla la Vieja, que ahora recibe la preferencia sobre el de Castilla la Nueva de las novelas de la etapa espiritualista (109),

tales como *Angel Guerra* o *Nazarín*. Para Regalado García las cosas están claras: Galdós se interesa ahora por Castilla y descubre su paisaje gracias a la influencia directa de la generación del 98, del mismo modo que sus ideas político-sociales (110).

(108) *O'Donnell, OC*, III, 186.
(109) Regalado García, *op. cit.*, p. 402.
(110) *Ibid.*, p. 403. Sobre la influencia del 98 en la concepción paisajística de Galdós, pp. 410-417.

Pero si esto último es muy discutible, puesto que parece evidente un proceso evolutivo y personal de radicalización en Galdós, como ha sido visto más arriba, no lo es menos lo primero. Ya en *Doña Perfecta* (1876) lo castellano en espíritu y en paisaje aparece de forma evidente, con contornos muy semejantes a los del Machado de *Campos de Castilla* (1912); es preciso tener en cuenta, como dice Carlos Blanco Aguinaga,

> la grave lección que sobre Castilla y sobre España en general nos ofrece Galdós en *Doña Perfecta* cuando explica que es la de Castilla tierra «que para la lengua es paraíso y para los ojos infierno» (111).

Pues si bien es cierto que existen muchos puntos de contacto entre el paisaje castellano visto por el último Galdós y por el 98 (112), también lo es que hay una diferencia radical, que puede verse en el anterior y extenso párrafo citado de *O'Donnell* y en todo *El caballero encantado:* la actitud de Galdós ante el *hombre real* que puebla ese paisaje, actitud

---

(111) *Juventud del 98*, p. 306.
(112) Cf., por ejemplo, *La revolución de julio* (1904), *OC*, III, 79: «Veía las chozas que se arman en las eras para guardar la mies en gavillas; frente a mí, casas mezquinas, agrupadas como si quisieran formar calles... Ningún árbol vivo alcanzaban a ver mis ojos; había, sí, frente a mí, uno muerto, tronco y ramas en completa desnudez esquelética. Los tejados y el árbol se destacaban con trazo vigoroso sobre un cielo limpio, sin ninguna nube en su concavidad majestuosa...» O el prólogo al libro de Salaverría: «Casas lejanas, escasos árboles, supervivientes de los que se plantaron al construir la carretera...» (*apud* Shoemaker, *op. cit.*, p. 86).

que coincide únicamente con la de Antonio Machado:

Allí figura el campo, poblado por el campesino, tal como vivía y no como, por ejemplo, en el caso de los escritores del 98, un paisaje idealizado en que el hombre es más bien un estorbo, salvedad hecha, huelga decirlo, de los escritos de Machado (113).

No hay que olvidar que en la *regeneración* de Tarsis-Gil en *El caballero encantado* ejerce papel primordial su contacto directo con la naturaleza, y su conocimiento, también directo, de la vida campesina (114). En este sentido sí cabe hablar de influencia paisajística del 98, si por tal entendemos la del Unamuno *joven* de *En torno al casticismo* (1895) (115).

Y no solamente paisajística. Algunas ideas fundamentales de *En torno al casticismo* aparecen también con harta significación en *El caballero encantado*, en todo el último Galdós. Así, los conceptos de *casticismo* y de *tradición eterna*. La misteriosa Madre que protege a Tarsis-Gil

---

(113) J. Lechner, *El compromiso en la poesía española del siglo XX* (Leiden, 1968), p. 130. En el tantas veces citado prólogo a Salaverría, explica Galdós su intención claramente: «Todos los que hemos peregrinado en las diferentes comarcas peninsulares buscando el contacto directo con el pueblo...» (*apud* Shoemaker, *ibid.*, p. 98).

(114) Correa, *op. cit.*, p. 252; cf. 231-253, «La presencia de la Naturaleza».

(115) Cf. Blanco Aguinaga, *op. cit.*, pp. 301-302; el último capítulo de este libro (pp. 293-322) se titula «Paisajismo del 98, la tendencia central y la excepción». La «excepción» es, naturalmente, la de Antonio Machado.

es nuestro ser castizo, el genio de la tierra, las glorias pasadas y desdichas presentes, la lengua que hablamos... (p. 129).

Es el alma de la raza, triunfadora del tiempo y de las calamidades públicas; la que al mismo tiempo es tradición inmutable y revolución continua (p. 291),

eterna entre nuestra mortalidad (p. 294) (116).

Como se ha dicho, «representa la España eterna unamuniana de *En torno al casticismo*» (117). El erudito Becerro de *El caballero encantado*, figura inicialmente ridiculizada (118) y luego también *regenerada*, aparece ahora así:

(116) En el prólogo al libro de Salaverría, habla también Galdós del «ser castizo» de los españoles (*apud* Shoemaker, *op. cit.*, p. 83; cf. también p. 89). Parece excesivamente rebuscada la explicación de Regalado García, que ve en la Madre de *El caballero encantado* «una variante de la interpretación de la Gran Madre, divinidad de la mitología indoeuropea y también de la de otras zonas, aunque Galdós hubo de tomar su información de las mitologías griega y celtíbera, únicas que probablemente conocía» (*op. cit.*, p. 473; cf. también pp. 474-475 y 478). Lo mismo piensa Correa, *op. cit.*, pp. 267-270. Idéntico personaje, bajo el nombre de Clío o Mariclío, representa un papel fundamental en la última serie de *Episodios Nacionales;* cf. Miguel Enguídanos, «Mariclío, musa galdosiana», *PSA,* junio 1961, pp. 235-249. Parece más lógico pensar, de nuevo, en influencias cervantinas, en este caso en la figura alegórica de España en *La Numancia*, como más arriba he mencionado.

(117) Schraibman, art. cit., *Homenaje a Rodríguez-Moñino*, II, 173.

(118) Cf. pp. 14-16, 41-46, 92-93. La dignificación de Becerro comienza en Numancia (pp. 156 y ss.). Compárese ese primer Becerro con el erudito y la erudición vistos por Unamuno en *En torno al casticismo*, pp. 28 y 31, ed. Austral (Madrid, 1964, 6.ª; todas las citas del ensayo de Unamuno, según esta edición). Y no se olviden las pp. 1366-1367 de *Cánovas*, ed. cit. Don Ventura Miedes, el erudito de *Narváez* (ed. cit., pp. 1513-1516, por ejemplo), no anda muy lejos de este mundo del Becerro

Era Becerro el gran erudito, el evocador de la Historia, el prodigioso mágico y demoniurgo, por quien las cosas pasadas vinieron a lo presente, y el hoy anticipó las visiones de un mañana remotísimo (p. 286).

Y dice Unamuno:

en el fondo intrahistórico del pueblo español viven las fuerzas que encarnaron en aquellas ideas y que pueden encarnar en otras (119).

La peregrinación purificadora de Tarsis-Gil conduce a una radical identificación del personaje con el pueblo —campesinos, obreros—, proceso equivalente al aconsejado por Unamuno: debemos

chapuzarnos en pueblo. El pueblo, el hondo pueblo, el que vive bajo la historia, es la masa común a todas las castas, es su materia protoplasmática; lo diferenciante y excluyente son las clases e instituciones históricas. Y éstas sólo se remozan zambulléndose en aquél *(Casticismo,* p. 143).

Pues, en efecto, además de las ideas de casticismo y de tradición eterna, la de *intrahistoria* tiene en *El caballero encantado* papel primordial. Todo el importante episodio de la aldea de Boñices, en que la Madre se rodea de los miserables del lugar, dialoga

---

primero: la semejanza ha sido notada por Regalado García, *op. cit.,* p. 468.

(119) *En torno al casticismo,* p. 49.

con ellos, les anima, no es, en realidad, sino una aplicación directa del concepto de lo intrahistórico. Como dice la maravillosa dama —España y su Historia—,

> ya ves cómo puedo hacer mi aparición sin ningún aparato, ni comparsería, ni rayos de sol... (página 86).

> No soy esta noche la matrona excelsa que te llevaba en veloz andadura de cerro en monte hasta las cumbres de Urbión; soy una pobre vieja que va pausadamente, asistida de este bastoncillo, a visitar apartados rincones de sus reinos. Te llevo conmigo, y verás que no pisaré fortalezas de magnates, ni palacios de príncipes de la Milicia o de la Iglesia; que no me inclinaré ante duques o marqueses, ni ante damas linajudas... Voy a consolar con mi persona las almas de los más humildes, de los vencidos y desesperanzados... (pp. 206-207).

Palabras e ideas tan semejantes a estas otras de *Cánovas* (1912), al tratar de lo que Galdós llama «el *ser interno* de la nación»:

> Demasiado sabes tú que la vida externa y superficial no merece ser perpetuada en letras de molde. Lo que aquí llaman política es corteza deleznable que se llevan los aires. Desea *Mariclío* que te apliques a la Historia interna, arte y ciencia de la vida, norma y dechado de las pasiones humanas. Estas son la matriz de

157

que se derivan las menudas acciones de eso que llaman *cosa pública*, y que debería llamarse *superficie de las cosas* (120).

O a éstas de 1903:

Aprendamos, con lento estudio, a conocer lo que está muerto y lo que está vivo en el alma nuestra, en el alma española...

Debajo de esta corteza del mundo oficial, en la cual campan y camparán por mucho tiempo figuras de pura representación, quizá necesaria, y la comparsa vistosa de políticos profesionales, existe una capa viva, en ignición creciente, que es el ser de la Nación... Vida inicial, rudimentaria, pero con un poder de crecimiento que pasma. Un día y otro la vemos tirar hacia arriba, dejando asomar por diferentes partes la variedad y hermosura de las formas recién creadas (121).

Capa viva y *en ignición creciente* a la cual llegan los personajes de *El caballero encantado* en el curso de sus peregrinaciones hispánicas: la aldea de Boñices y sus habitantes como ejemplo máximo. No es preciso citar aquí, por conocido, pasaje alguno de *En torno al casticismo*, en que Unamuno explica qué cosa sea *intrahistoria*. Baste señalar una vez más la cercanía y semejanza que entre Unamu-

---

(120) *Cánovas*, ed. cit., p. 1354.
(121) «Soñemos, alma, soñemos», en *Memoranda*, ed. cit., pp. 237 y 241.

no y Galdós existe al respecto (122). Otros detalles coincidentes de *El caballero encantado* y de *En torno al casticismo* contribuyen, en tono menor, a acentuar las concomitancias ideológicas entre ambas obras. Así, cuando Tarsis-Gil sueña con la Madre:

y dormido volvió a sentirse junto a ella... y dormido decía: *soñemos, alma, soñemos* (página 230),

recordamos inmediatamente dos pasajes de *En torno al casticismo* (pp. 50 y 101), en que Unamuno cita al Segismundo de *La vida es sueño* en un contexto no muy alejado del galdosiano y de sus intenciones. No olvidemos que ya en 1903 escribe Galdós su importante ensayo —mencionado más arriba— titulado, precisamente, «Soñemos, alma,

---

(122) Sin embargo, y como dice Tuñón de Lara (*op. cit.*, página 140), «la intrahistoria era... una conquista objetiva, que iba más lejos que su autor». Y cita un texto de Joaquín Costa, al cual conviene añadir este otro, mucho más significativo: «Podríamos representarnos la nación como un compuesto de las distintas sociedades... la España chica, formada de los grandes, la que se ve, la que mete el ruido, la de los órganos, la que ha ocupado y ocupa a los historiadores y a los periodistas; la otra, la España grande, formada de los pequeños, la silenciosa y que no se ve, semejante a los mapas mudos de las escuelas» (de un artículo publicado en *El Ribagorzano*, 20-IX-1906; *apud* Tierno Galván, *op. cit.*, p. 152, nota). También Antonio Machado utilizará el concepto de intrahistoria, así como otros noventayochistas; cf. Tuñón de Lara, *op. cit.*, pp. 140-141. Véase Carlos Clavería, «El pensamiento histórico de Galdós», ya citado, pp. 175-176; Hinterhäuser, *op. cit.*, pp. 108-115; Regalado García, *op. cit.*, pp. 268, 286-297, 353, 469, 489; Denah Lida, «Sobre el krausismo de Galdós», *AG*, II (1967), 24-25, nota; Tuñón de Lara, *op. cit.*, pp. 71, 139.

soñemos», que termina con frase de evidente corte unamuniano:

¿Es esto soñar? ¡Desgraciado del pueblo que no tiene algún ensueño constitutivo y crónico, norma para la realidad, jalón plantado en las lejanías de su camino! (123).

Y así la apasionada defensa del pueblo y sus valores, que permea todo *El caballero encantado*, tan similar a la de *En torno al casticismo*, resumida de la siguiente forma en su párrafo final (p. 146): desea Unamuno que la juventud

se vuelva con amor a estudiar el pueblo que nos sustenta a todos, y abriendo el pecho y los ojos a las corrientes todas ultrapirenaicas y sin encerrarse en capullos casticistas, jugo seco y muerto del gusano *histórico*, ni en diferenciaciones nacionales excluyentes, avive con la ducha reconfortante de los jóvenes ideales cosmopolitas el espíritu colectivo intracastizo que duerme esperando un redentor (124).

---

(123) En *Memoranda*, ed. cit., p. 245.
(124) Acerca de diferentes aspectos de las relaciones entre Galdós y Unamuno, cf. Berkowitz, «Unamuno's Relations with Galdós», *HR*, VIII (1940), 321-338, y libro cit., p. 38; Segundo Serrano Poncela, «Unamuno y los clásicos», *La Torre*, IX (1961), 530-535; Gullón, *op. cit.*, p. 137; Schraibman, «Galdós y Unamuno», en *Spanish Thought and Letters*, pp. 451-482; Ciriaco Morón Arroyo, «Galdós y Ortega y Gasset: historia de un silencio», *AG*, I (1966), 145. Capítulo interesantísimo de estas relaciones es el de la influencia de Galdós sobre Unamuno. Es asunto no claramente delimitado todavía; recuerdo aquí únicamente lo dicho por Blanco Aguinaga: «¿Qué sería Unamu-

No faltan tampoco conexiones entre *El caballero encantado* y los restantes autores del 98, algunas de ellas ya mencionadas. Es más que posible que la simpatía con que Galdós miraba a los musulmanes peninsulares del pasado y marroquíes del presente —ya lo hemos visto—, llegando a identificarlos con los españoles de hoy y de ayer, tenga su origen en el *Idearium español* (1896), de Angel Ganivet, donde de forma tan atractiva se trata el tema. En cuanto al problema de la abulia, más arriba mencionado, también aparece, y por extenso, en el *Idearium*.

En 1902 publicaba Azorín *La voluntad*, de problemática tan noventayochista, problemática planteada también en *El caballero encantado*, pero —diferencia fundamental— animando a superarla y superándola de hecho en la novela. Es interesante notar, ya que de influencias se trata, que el propio Galdós estrenaba en diciembre de 1895 su drama titulado, justamente, *Voluntad*. Y, por otra parte, como indica Ricardo Gullón (125), *Doña Perfecta* y *Angel Guerra* «dejaron su huella en *La voluntad*, de Azorín». Anteriormente me he referido a la declarada admiración de Azorín por Galdós, a raíz del estreno de *Electra* (126).

---

no... sin el krausismo, sin el idealismo alemán...? ¿Qué sería sin los patriotas catalanes que tanto influyeron en él? ¿Qué sin Galdós?» (*Unamuno, teórico del lenguaje*, México, 1954, p. 21). De otro punto de contacto fundamental entre Galdós y Unamuno, el de la lengua, trato en las últimas páginas de este trabajo.

(125) *Op. cit*, p. 138.

(126) Cf. Regalado García, *op. cit.*, p. 403, acerca de la posible influencia del 98 en Galdós según el propio *Azorín*, quien,

El problema de las influencias mutuas aparece también con Antonio Machado. Ya vimos la gran semejanza que existe entre éste y Galdós con respecto al tratamiento del campo y de los campesinos; Robert Ricard señala que la España que aparece en *Doña Perfecta* trae a la memoria de inmediato la de *Campos de Castilla*, lo cual es fácilmente comprobable mediante una simple lectura de ambas obras (127). Y ya con referencia concreta a *El caballero encantado*, el calificativo que del poeta de San Millán de la Cogolla hace la Madre, «mi primer gran poeta Gonzalo de Berceo» (p. 103), parece correlato del conocido verso de Antonio Machado, «El primero es Gonzalo de Berceo llamado» (128). De nuevo otro tema del 98; como afirma *Azorín*, «nos hemos encontrado identificados con Gonzalo

---

sin embargo, llama a aquél *el maestro*, en consonancia con lo dicho en *Lecturas españolas* (Madrid, 1920), pp. 208-209: Galdós «ha revelado España a los ojos de los españoles que la desconocían; este hombre ha hecho que la palabra *España* no sea una abstracción, algo seco y sin vida, sino una realidad... Don Benito Pérez Galdós, en suma, ha contribuido a crear una conciencia nacional... La nueva generación de escritores debe a Galdós todo lo más íntimo y profundo de su ser: ha nacido y se ha desenvuelto en un medio intelectual creado por el novelista».

(127) Dice Ricard: «J'ai peine à voir Orbajosa dans la région de Tolède. Je la verrais plutôt dans ces régions particulièrment désolees de la Vieille-Castille et de la province de Soria qui forment transition avec l'Aragon: La Castille d'Orbajosa fait surtout penser à la Castille des *Campos de Castilla* (1912) d'Antonio Machado» (*op. cit.*, p. 95).

(128) «Mis poetas», en *Obras. Poesía y prosa*, ed. cit., p. 227. Para Regalado García, por otra parte, el baile que la Madre resucitada después de su fusilamiento lleva a cabo «donosamente en la verde frescura de un prado», en «la hierba húmeda» (p. 316), «hace pensar si el autor tuvo presente el famoso prado de Berceo en los *Milagros de la Virgen*» (*op. cit.*, p. 479).

162

de Berceo...» (129). De más honda significación machadiana es el párrafo de la página 99 de *El caballero encantado* citado más arriba, o este otro, descriptivo de la comarca en torno a Numancia —a Soria—:

> era una región solitaria, en la que Gil no encontraba más que la huella invisible de la Historia, y gráficas huellas de rebaños (p. 153).

Textos muy próximos al espíritu y a la expresión de los poemas «A orillas del Duero» y «Por tierras de España»:

> ¡Oh, tierra triste y noble,
> la de los altos llanos y yermos y roquedas,
> de campos sin arados, regatos ni arboledas!
> ... ...
> La madre en otro tiempo fecunda en capitanes,
> madrastra es hoy apenas de humildes ganapa-
> [nes (130).

Y si no olvidamos cuál es la visión que Galdós tiene de la Castilla soriana y de sus habitantes, veremos su semejanza con la de Antonio Machado:

> Hoy ve sus pobres hijos huyendo de sus lares;
> la tempestad llevarse los limos de la tierra

---

(129) *Apud* Pedro Laín Entralgo, *España como problema* (Madrid, 1957, 2.ª), p. 590, nota.
(130) «A orillas del Duero», *Obras. Poesía y prosa*, ed. cit., p. 131.

por los sagrados ríos hacia los anchos mares;
y en páramos malditos trabaja, sufre y ye-
[rra (131).

Noventayochista es también, y común a toda la
generación, el descubrimiento de El Greco y la admiración por el pintor de Toledo (132), en buena
parte gracias al famoso libro de Manuel Bartolomé
Cossío (Madrid, 1908). En *El caballero encantado*
recoge Galdós tal hecho:

Un caballero anciano, de faz noble y escuálida, de barba gris puntiaguda, tipo tan exacto
del Greco... Tan sólo el prócer de macilenta
faz ostentaba cierto aire de indefinible princi-
palía. Recordando el cuadro del Greco, Gil le
bautizó con el nombre de *Conde de Orgaz* (página 323).

En cuanto a Baroja, ya hemos visto los elogios
que hizo de Galdós, a pesar de posteriores y violentos rechazos; según Gullón (133), ciertas descripciones de *Camino de perfección* «recuerdan las del

(131) «Por tierras de España», *ibid.*, p. 133. Acerca de las
proximidades ideológicas entre Galdós y Antonio Machado,
cf. Hinterhäuser, *op. cit.*, p. 197, y Tuñón de Lara, *op. cit.*,
p. 123.
(132) Cf. Ricard, *op. cit.*, pp. 96-97. Sobre el 98 y el Greco,
cf. *Azorín*, «El tricentenario del Greco» (*Clásicos y modernos*,
ed. cit., pp. 153-158) y «La generación de 1898» (*ibid.*, p. 254).
(133) *Op. cit.*, p. 138. *Azorín*, en *Lecturas españolas* (ed. cit.,
p. 222), llega a afirmar que «sin Galdós no sería posible Baroja; necesítase estudiar la obra del primero para comprender
plenamente la del segundo».

campo en *Doña Perfecta*». También han sido notadas varias semejanzas entre Galdós y Ortega (134). Todo esquema de las relaciones entre Galdós y el 98 quedaría incompleto sin mencionar la Institución Libre de Enseñanza, cuyos maestros formaron o influyeron de alguna manera a los componentes de la generación. Ya Costa, como ha sido visto, es un nexo evidente. Pero no hay que olvidar las conexiones existentes entre Galdós y Giner de los Ríos y el institucionismo, bien conocidas (135). La importancia del tema educativo es de significancia radical en *El caballero encantado*, como lo es en la última serie de *Episodios*, en las últimas novelas y piezas teatrales, y, en conjunto, en toda la obra galdosiana. Floriana, la maestra de *La primera repú-*

---

(134) Morón Arroyo, art. cit., especialmente p. 145. El antigaldosianismo de Valle-Inclán es tema que merecería estudio aparte. Pues, como señala Vicente Gaos (*Temas y problemas de literatura española*, Madrid, 1959, pp. 222-223), es más que posible que el autor de *El ruedo ibérico* deba mucho de su técnica esperpéntica precisamente a Galdós; cf. cap. V, nota b del presente libro. Véase Francisco Yndurain, *Valle-Inclán. Tres estudios* (Santander, 1969), pp. 71-88.

(135) Cf. Berkowitz, «Galdós and Giner: A Literary Friendship», *Spanish Review*, I (1934), 64-68; Ch. W. Steele, «The Krausist Educator as Depicted by Galdós», *KFLQ*, V (1958), 136-142; Vicente Cacho Viu, *La Institución libre de enseñanza*, I (Madrid, 1962), 507-512; Shoemaker, «Sol y sombra de Giner en Galdós», *Homenaje a Rodríguez-Moñino*, II, 213-225; Hinterhäuser, *op. cit.*, pp. 220-221; Tuñón de Lara, *op. cit.*, pp. 27, 123-125; Denah Lida, art. cit.; Juan López Morillas, «Galdós y el krausismo. *La familia de León Roch*», *RO*, núm. 60 (marzo 1968), pp. 331-357; «Galdós's Ideas on Education» (*Hispania*, XXVII, 1944, 138-147), de Dorothy G. Park e Hilario Sáenz, no es sino una lista, incompleta, de pasajes galdosianos relativos al tema indicado. Para Salvador de Madariaga (*España. Ensayo de historia contemporánea*, Buenos Aires, 1942, 3.ª, p. 127), ambos, Galdós y Giner de los Ríos, son las figuras clave de la España liberal anterior a la guerra civil.

blica (1911) y *De Cartago a Sagunto* (1911); las tesis de *Casandra* (1905), de *Celia en los infiernos*
(1913) y de *La razón de la sinrazón* (1915), andan,
una y otras, muy cerca de la Cintia de *El caballero
encantado* y de las ideas educativo-regeneracionis-
tas de esta novela. De la misma forma que el Tarsis
inicial será transformado en Gil, la Cintia de aquel
primer momento, rica heredera que desdeña el amor
del caballero, reencarna en Pascuala, maestra de primeras letras en Calatañazor (cf. pp. 189-191) (136).
Tarsis-Gil y su ya amante intentan escapar del pue-
blecito, dominado por el caciquismo brutal, mas en
el momento de emprender la fuga sucede algo extraordinario:

> Y de súbito aparecieron, corriendo y brin-
> cando, niñas y niños... La primera tanda era
> de diez o doce... Siguieron como unos veinte...
> Luego fueron cientos, que a los ojos aterrados
> de Gil eran miles... La turba rodeó a Cintia;
> innumerables manecitas se agarraron a la fal-
> da de la maestra... Ahogada por los abrazos,
> inmovilizada por los tirones, Cintia sólo pudo
> decir: «No me dejan... Vete, Gil... Ya ves, no
> puedo... Esclava soy de esta menudencia...»
> (páginas 198-199).

Será la Madre quien explique lo ocurrido:

---

(136) En pp. 116-121 puede verse la primera entrevista —en
Agreda— de la pareja protagonista bajo su nueva condición;
en p. 123 habla Cintia-Pascuala de sus estudios de magisterio,
realizados en Zaragoza.

En los tiempos que corremos, Gil, los niños mandan. Son la generación que ha de venir; son mi salud futura; son mi fuerza de mañana. Les he visto agarrados a su maestra y he tenido que decirles: «Andad con ella, chiquillos...; defendedla del ladrón» (p. 206).

A partir de ahora, ambos, Tarsis y Cintia, serán capaces, con ayuda de la Madre, de transformar el país, representado simbólicamente en el hijo de la pareja, *Héspero* (p. 346). El futuro se anuncia prometedor:

Construiremos veinte mil escuelas aquí y allá, y en toda la redondez de los estados de la Madre. Daremos a nuestro chiquitín una carrera: le educaremos para maestro de maestros (p. 347) (137).

Esta glorificación de los menesteres pedagógicos es paralela a la que Galdós hace en *La primera república*:

¡Los dioses han creado a Floriana para un fin sin fin! Es la educadora de los pueblos.
Ya puedes comprender que con un millón de maestras como ésta que has visto tu patria y las patrias adyacentes serán regeneradas, en-

---

(137) En la plaza mayor de Nueva-Boñices se elevará la estatua del viejo y miserable maestro Alquiborontifosio de las Quintanas Rubias (p. 347), de quien se ha hecho mención anteriormente.

noblecidas y espiritualizadas hasta consumar la perfecta revolución social (138).

Institucionismo, regeneracionismo. Y también de nuevo Ganivet, el Ganivet de *Los trabajos del infatigable creador Pío Cid* (1898), trabajos básicamente pedagógicos, resumidos así por el héroe:

A ratos pienso que quien está a mi cabecera no es una pobre sirvienta, sino España, toda España, que quiere aprender a leer, escribir y pensar (139).

---

(138) *La primera república*, ed. cit., pp. 1168 y 1189. Compárese con lo dicho en *Casandra* (ed. cit., p. 52): «mi reformadora es Casandra, en quien veo una gran maestra, educadora de pueblos...» Acerca de los métodos educativos de estas nuevas maestras, cf. *La primera república*, p. 1188.

(139) Cito por la ed. de Madrid, 1928; I, 42-43. El deseo de una educación integral y humanizada aparece así en II, 252-253: «decidió explicarle a fondo estas artes útiles, cuyo conocimiento da al hombre una idea más grave, noble y humana de la vida; porque, le decía, hay hombres que viven sin saber los esfuerzos y sudores que cuesta el pedazo de pan de que diariamente se nutren, y estos hombres no pueden comprender la verdadera fraternidad, que consiste en considerarnos ligados a los otros hombres... Después de aprender, una por una, en lecciones anteriores todas las faenas de la molinería y panadería... quiso Jaime enterarse también de la producción del trigo...» Que Galdós tuvo presente este episodio de *Pío Cid* en *La razón de la sinrazón* (ed. cit., p. 240) resulta obvio: «Sabrá usted que los niños comen y meriendan aquí y se van a dormir a sus casas, después de haber recibido la enseñanza elemental y el conocimiento práctico de cuanto constituye la vida humana. Presenciar la siembra del grupo, la recolección; ven el trigo en las eras, en el molino; y como tenemos tahona en la casa, se hacen cargo de las transformaciones de la mies hasta convertirse en pan. Saben cómo se hace el vino, el aceite, los quesos, el carbón...» Atenaida, la maestra, es «pensamiento y acción» (p. 50). Como indica su enamorado, Alejandro, «yo cultivo la tierra y Atenaida los cerebros de esas tiernas criaturas» (p. 242). Y ella exclama, finalizando así la obra —por

Pero hay, sin duda, algo más en *El caballero encantado*. No olvidemos que el niño *Héspero*, futuro «maestro de maestros», ha sido engendrado no por Tarsis, sino por Gil, según explica Cintia: «El niñito lo tuve de un mozarrón muy bruto que trabajaba en la cantera de Agreda» (p. 346). Y tengamos también en cuenta que la fracasada fuga de Calatañazor fue impedida por los niños del pueblo, miserables y abandonados por la España oficial, como abandonados se hallan también campesinos y obreros, según señala acusadoramente ya el Galdós de *Marianela* (1878):

> se pierden en los desiertos sociales...; en lo más oscuro de las poblaciones, en lo más solitario de los campos, en las minas, en los talleres (140).

Galdós, una vez más, ha visto claro. Pues si de transformar el país se trata, no basta con educar a niños presentes y futuros, sino que es preciso hacer llegar esa educación a quienes tradicionalmente se les ha negado, a las clases trabajadoras. Así es como, piensa Galdós, se conseguirá esa «perfecta revolución social» de que habla en *La primera república*. En 1901, y en entrevista publicada en el periódico francés *Le Siècle*, lo explicó meridianamente:

---

tantos conceptos tan semejante a *El caballero encantado*—: «Somos el manantial que salta bullicioso; ellos, la laguna dormida» (p. 242).
(140) *Marianela, OC*, IV (Madrid, 1954), 750.

«El obrero español es sobrio, inteligente. Le falta organización. Le falta, sobre todo, instrucción. La instrucción le dará todo... La obra escolar será el bautismo de su nueva vida» (141).

Y Galdós, el Galdós admirador de Pablo Iglesias y de su partido, sabía que el socialismo proporcionaba al trabajador las dos cosas por él deseadas: organización e instrucción. Recuérdese, con respecto a la última de ellas, el emblema del PSOE: un yunque sobre el que reposan varias herramientas, así como un libro abierto, un tintero y una pluma. Trabajo y fuerza; educación e inteligencia. El niño *Héspero*, esperanza final con que se cierra *El caballero encantado*, parece sintetizar todo ello, y lo dicho por Galdós en *La primera república*, con palabras que conviene repetir de nuevo, a pesar de haberlas citado anteriormente:

> Conservando amorosamente el saber que tienes archivado en tu cabeza, ponte a trabajar en una herrería, forjando a fuerza de martillo el metal duro; abre el surco de la tierra, siembra el grano y cosecha la mies; arranca de la cantera el mármol o el granito...
>
> Yo y mis compañeros de trabajo somos forjadores de los caracteres hispanos del porvenir... Estos hierros son resortes para las voluntades, que no han de doblarse ni romperse.

---

(141) *Apud* J. Blanquat, «Au temps d'*Electra*», p. 308.

Luego verás cómo trabajamos el acero y otros metales, que han de dar resistencia a los corazones y solidez a los cráneos donde se alberga el pensamiento (142).

Mas Galdós va más lejos todavía en esta su visión del futuro según *El caballero encantado*, un futuro que no es estrictamente *español*, sino *hispánico*, puesto que engloba lo peninsular y lo americano, tema éste tan caro a los ideólogos del 98, especialmente a Ganivet y a Unamuno (143). Es preciso acudir de nuevo a Cintia-Pascuala, personaje clave. Cuando aparece por primera vez en la novela es «muy bella, huérfana millonaria nacida en Bogotá y recriada en la Argentina» (p. 40) (144). La hermosa colombiana surge por segunda vez en misteriosas circunstancias, reflejada en un espejo del gabinete del erudito Becerro (pp. 46-48)... Más tarde —ya lo sabemos— reaparecerá transformada en la maestra Pascuala, madre de *Héspero*, es decir, del

---

(142) *La primera república*, ed. cit., pp. 1182 y 1186. Ya en *El amigo Manso* (1882) señalaba Galdós las limitaciones de una educación exclusivamente krausista e institucionalista: Manolito Peña, el discípulo de Manso, se independiza de las enseñanzas recibidas, va más allá, pues «el hombre de pensamiento descubre la verdad; pero quien goza de ella y utiliza sus celestiales dones es el hombre de acción, el hombre de mundo, que vive en las particularidades, en las contingencias y en el ajetreo de los hechos comunes» (*OC*, IV, Madrid, 1954, p. 1264).

(143) Cf., del primero, *Idearium español*, ed. cit., pp. 90-98 y 141; del segundo, los textos reunidos y comentados por Julio César Chaves en su libro *Unamuno y América* (Madrid, 1964).

(144) A propósito de Cintia comenta Galdós: «En las americanas se advierte cierta inclinación a paganizar los nombres, cual si quisieran iniciar una graciosa escapada de las sombrías esferas del cristianismo» (p. 40).

esperanzador futuro en que la vieja España y la joven América se sintetizan. Como ha dicho Angel del Río, «el significado es obvio, elemental, y una vez más debemos extrañarnos de que ni españoles ni americanos hayan prestado la menor atención a este mensaje del gran novelista» (145). Mensaje que, como indica el mismo Del Río, lanza Galdós repetidamente en sus últimos años (146). La Madre, a quien Tarsis pregunta por el paradero real —¿España, América?— de Cintia tras su extraordinaria aparición en el espejo mencionado, dice así:

> Allá, como aquí, domino por mi aliento, *sicut tuba;* por la vibración de mi lenguaje, que será el alma de medio mundo. Cuando de allá me invocan acudo al instante (p. 106).

Nos encontramos así con otro tema fundamental e íntimamente relacionado con el hispánico: el de la lengua, una lengua que

> aún dura y perdurará por siglos, en uno y otro mundo... [que] al fin quedó hecha, *sicut tuba,* trompeta de nuestra energía (p. 100).

De nuevo, las concomitancias entre Galdós y Unamuno resultan evidentes. También el rector de Salamanca creía en una comunión de lo hispánico de raíz lingüística; como dice Blanco Aguinaga,

---

(145) Del Río, art. cit., p. 295.
(146) Art. cit., pp. 280, 288-289, 294.

nos habla del futuro lenguaje hispánico a través del cual podría lanzarse a los vientos del mundo una nueva conquista de espíritus hermanos (147).

Mas para ello es preciso acabar con la mera verborrea, inyectar energía y voluntad en las palabras:

cuando las palabras, o sea las féminas, no están bien fecundadas por la voluntad, no son más que un ocioso ruido. Y aquí verás señalado el vicio capital de los españoles de tu tiempo, a saber: que vivís exclusivamente la vida del lenguaje, y siendo éste tan hermoso, os dormís sobre el deleite de tan grato sonido *(El caballero encantado*, pp. 100-101).

Fustiga Galdós a quienes

por hablar demasiado ahogaron en océanos de palabras la voluntad y el pensamiento de la vida hispánica. Casi todos los que ves aquí son oradores... Hablaron mucho y no hicieron nada... (p. 336).

Y la Madre señala, aguda y acusadoramente, una de las características de la sociedad de la Restauración:

El abuso de las pompas rituales es uno de mis mayores suplicios en la época presente. Si

---

(147) *Unamuno, teórico del lenguaje,* p. 54. Cf. en pp. 54-56 los oportunos textos unamunianos. También Chaves, *op. cit.,* pp. 23, 37, 42, 46-48.

he de decirte la verdad, vivo en continuo des-
acuerdo con mis hijos. Así, los que dirigen mi
nacional cotarro, como la turbamulta gregaria
que se deja dirigir, viven en un mundo de ri-
tualidades, de fórmulas, trámites y recetas. El
lenguaje se ha llenado de aforismos, de lemas
y emblemas; las ideas salen plagadas de mo-
tes, y cuando las acciones quieren producirse
andan buscando la palabra en que han de en-
carnarse y no acaban de elegir... (p. 94) (148).

Compárese con lo dicho por Unamuno acerca del
mismo problema:

Todavía, aunque quebrantada, manda por
ahí demasiado cierta concepción estática del
idioma; contémplasele por muchos, en su estado oficial de hoy, sujeto a preceptos regla-
mentarios, y no en su proceso vital, no en la
viva relación de su presente a su pasado, hasta
el más remoto, único recurso de comprenderlo
y de llegar a sentir en su empuje el porvenir (149).

Se trata, en resumen, y como ha explicado Blanco Aguinaga, de que

la palabra, como la vida, es cambio y generación constante. La palabra es la forma de la

---

(148) No es casualidad que actualmente Juan Goytisolo lleve
a cabo una demoledora tarea desmitificadora del lenguaje convencional y hueco de nuestros días; cf. su extraordinaria novela *Reivindicación del conde don Julián* (México, 1970).
(149) *Apud* Blanco Aguinaga, *op. cit.*, p. 49.

vida, y con los cambios de ésta debe cambiar ella; debe ser dinámica. Tiene que estar siempre lista para desposarse y engendrar (150).

Y al lado de este dinamismo necesario, la eternización —histórica e intrahistórica— del país, de los países que hablan esa misma lengua:

> eres inmortal... porque no eres una vida, sino millones de vidas; no eres sólo un lenguaje, sino millones de lenguas que espiritualmente te vivifican *(El caballero encantado*, p. 314).

La Madre, en efecto, debemos recordar de nuevo,

> es nuestro ser castizo, el genio de la tierra, las glorias pasadas y desdichas presentes, *la lengua que hablamos...* (p. 129).

Lengua eterna y al propio tiempo renovada, común a todo el mundo hispánico —Tarsis-Gil, Cintia-Pascuala, *Héspero*—. Como explica la colombiana regenerada en Calatañazor,

> nuestros bienes son comunes, y entre nosotros no puede haber ya *tuyo y mío...* Haremos grandes cosas (p. 347) (151).

---

(150) *Op. cit.*, p. 37. Cf. también pp. 24-25, 39, 42-43, 60, 78.
(151) En 1912, y en entrevista publicada en el mes de julio por la revista parisiense *Mundial-Magazine*, revista dirigida por Rubén Darío, decía Galdós: «Esos son países fuertes: la Argentina, Brasil, Chile, el Uruguay; son países jóvenes donde hay vida. Aquí está todo muerto, aquí tiene que haber una

Vemos así cómo Galdós construye, con sus deseos e imaginación, partiendo de una realidad injusta y desagradable, un futuro hispánico esplendoroso (152). Pues como ha dicho Miguel Enguídanos (153),

> las más altas posibilidades del vivir hispánico —por sombrío o nulo que nos parezca el presente, por incierto que se vislumbre el porvenir— yacen en el mañana.

Por ello, y éste es el resumen del mensaje e intenciones de *El caballero encantado*, el simbólico héroe Tarsis-Gil

> llegó a posesionarse de la síntesis social, y a ver claramente el fin de armonía compendiosa entre todas las ramas del árbol de la patria (página 344).

___

gran catástrofe o esto desaparece por putrefacción. Esto está muerto, muerto, muerto... Buen viaje a estos países jóvenes y fuertes que tienen vida y salud. Esto está muerto» (*apud* J. Blanquat, «Documentos galdosianos: 1912», pp. 149-150).

(152) Enrique Díaz-Canedo compendiaba así el papel de Galdós en la España de principios de siglo, y su influencia: «los hombres formados en los libros de Galdós para una libertad, para unos destinos todavía no alcanzados» («tres hombres», en *Conversaciones literarias, 1915-1920*, Madrid, 1921, página 207).

(153) Art. cit., p. 246.

IV

LA DEGOLLINA DE FRAILES EN EL MADRID DE 1834. TRES PUNTOS DE VISTA: AYGUALS DE IZCO, GALDOS, BAROJA

En el mes de julio de 1834, Madrid se encontraba asediado por varios y diferentes peligros. Fernando VII había muerto en septiembre del año anterior, dejando por herencia al país una princesa niña, Isabel II, y una guerra civil, la primera de las carlistas, que habría de durar siete años. A las conspiraciones y provocaciones apostólicas y reaccionarias, a la exultación de los liberales redivivos tras la desaparición del rey y en medio de la propagación de los ideales románticos, se unía ahora una plaga de consecuencias catastróficas: el cólera. Como en otros momentos de la Historia española, el anticlericalismo popular, unido a la más grosera ignorancia y a la pasión política, vio en los frailes los responsables de todos los males que azotaban a la nación. El pueblo madrileño, convencido de que los religiosos habían envenenado las aguas de la capital, asaltó los conventos de la ciudad, tomándose lo que consideraba justicia por su propia mano, mientras el Gobierno asistía tan inactivo como horrorizado a los sucesos.

177

Tales acontecimientos fueron recogidos en diferentes novelas por tres escritores bien alejados entre sí en estilo, intenciones y tiempo: el folletinista Wenceslao Ayguals de Izco *(María, o la hija de un jornalero;* I, Madrid, 1845), Benito Pérez Galdós *(Un faccioso más y algunos frailes menos;* Madrid, 1879: utilizo la edición de 1908) y Pío Baroja *(La Isabelina,* parte de las *Memorias de un hombre de acción;* Madrid, 1919: utilizo la edición de *OC,* III, Madrid, 1947). Si bien resulta evidente que Baroja manejó los textos de sus dos predecesores, así como Galdós el de Ayguals, no lo es menos que al propio tiempo conocieron y utilizaron fuentes comunes (a excepción del autor de *María,* testigo presencial de los hechos): las historias, crónicas y memorias contemporáneas. Entre las cuales destacan —amén de otras menores— las obras de Ramón de Mesonero Romanos, A. Fernández de los Ríos, Antonio Pirala y Modesto Lafuente (1).

En 1845 publica Ayguals el primer volumen de *María,* folletín destinado a gozar de enorme éxito popular, como demuestra la existencia de al menos once ediciones, la última de ellas todavía en el año 1905 (2), así como sus traducciones al francés,

---

(1) Respectivamente: *Memorias de un setentón,* BAE, CCIII; *Estudio histórico de las luchas políticas en la España del siglo XIX* (Madrid, 1879, 2.ª); *Historia de la guerra civil,* I (Madrid, 1868); *Historia general de España,* continuada por Juan Valera, XX (Barcelona, 1890). Cf., a otro nivel, José Fresas, *Cronología de los sucesos más memorables... desde el año 1759 hasta 1836* (Madrid, 1836); Luis Bordás, *Hechos históricos y memorables acaecidos en España desde la última enfermedad de Fernando VII* (Barcelona, 1846); José Velázquez y Sánchez, *Páginas de la revolución española, 1800-1840* (Sevilla, 1856).

(2) Cf. Iris M. Zavala, «Socialismo y literatura: Ayguals de

italiano, portugués y alemán. Ayguals había editado en 1844 su propia traducción de *El judío errante,* de su maestro Eugenio Sue, quien a su vez prologaría la edición francesa de *María.* No es mi propósito tratar aquí, en modo alguno, de la novela de Ayguals sino únicamente en lo que se refiere al episodio en que se describen los motines populares de aquel Madrid aterrorizado por la epidemia (capítulos III y IV, «El cólera», «Profanación y matanza»). Comienza Ayguals por hacer la siguiente consideración:

De cuantos males han afligido a la naturaleza humana, ninguno se ha conocido hasta el día más horrible y aterrador, ni que más estragos haya causado en todas partes, que el conocido con el nombre de *cólera-morbo asiático* (página 47).

Tras lo cual aparece la siniestra descripción de aquel mes de julio de 1834:

Apenas había casa donde no se llorase alguna muerte... El llanto se mezclaba con los ayes de los moribundos: el alarido de la desesperación, de la orfandad, de la viudez, con el fervoroso clamoreo de los sacerdotes y con el so-

Izco y la novela española», *RO,* núm. 80 (nov. 1969), p. 167. Sobre Ayguals, cf. de la misma autora *Ideología y política en la novela española del siglo XIX* (Salamanca, 1971); Juan Ignacio Ferreras, *Estudios sobre la novela española del siglo XIX. La novela por entregas, 1840-1900* (Madrid, 1972); Rubén Benítez, *Vida y obra de un novelista demócrata: Wenceslao Ayguals de Izco (1801-1873),* en curso de publicación.

nido aterrador del martillo que improvisaba fúnebres ataúdes... Las gentes transitaban manifestando en las alteradas facciones de sus rostros cadavéricos el espanto de que se hallaba poseído su corazón...

Veíanse pasar incesantemente en todas direcciones no ya las camillas o parihuelas con dos o tres cadáveres en cada una, sino carros atestados de víctimas que se dejaban hacinadas a centenares en las parroquias (pp. 48-49).

La semejanza del tema y de su tratamiento con ciertas partes de *El judío errante,* de Sue, hizo que Ayguals se defendiese de una posible acusación de plagio en nota insertada al final del capítulo III de *María* (p. 52) (3). Los efectos del cólera aparecen también, de modo muy aproximado, en *Un faccioso más* (pp. 273, 288) y en *La Isabelina* (p. 1101).

La desesperación impotente ante los estragos del cólera, el estado de inquietud en que se encontraba el país ante las amenazas carlistas, y el convencimiento de que buena parte del clero favorecía al carlismo, explican los sangrientos sucesos del 17 de julio. Así lo dice, por ejemplo, Antonio Pirala:

El vulgo ignorante, que ve pocas veces la principal causa de sus desgracias... atribuyó o le hicieron atribuir aquella calamidad inevita-

---

(3) Pirala señala también, y por extenso (pp. 436-437), el tratamiento que Manzoni hace de una situación similar en *I promessi sposi*, en que se describe el cólera de 1630 en el Milanesado.

ble a las personas o a las clases que se quería dejasen de existir, que eran o se quería que fuesen una rémora a sus deseos, haciendo de ellos los de toda la nación.

No negaremos que las órdenes religiosas empezaban a ser miradas con prevención por haber olvidado algunas de ellas su verdadera misión y convertídose en instrumentos de venganzas y agentes de la guerra civil... los frailes eran considerados como los enemigos de toda innovación, de todo progreso... (4).

Los argumentos de Ayguals son muy semejantes, pero mucho más elaborados y de doble fondo: aparec: el sentimiento anticlerical, motivado por razones políticas y sociales, y aparece el *Lumpenproletariat*, que, como es sabido, interviene muchas veces en acciones populares como la aquí tratada (5). Véase, como muestra, lo que dice sobre el anticlericalismo:

Esta razón era la ninguna simpatía que estos siervos de Dios tenían en el pueblo. ¿Por qué?

---

(4) *Op. cit.*, p. 435. Algo muy semejante dice la *Historia* de Lafuente (ed. cit., pp. 69-70). Por el contrario, Mesonero Romanos, si bien acude al recurso de la ignorancia popular, se limita a observar que «la Iglesia no había ocultado nunca sus simpatías por el antiguo régimen» (*op. cit.*, p. 206).

(5) Recuérdese lo dicho por Karl Marx: «En cuanto al populacho (*Lumpenproletariat*), esa masa inactiva y viciosa que constituye la última capa de la sociedad, alguna vez y en críticos momentos toma parte en la revolución proletaria. Pero, esto no obstante, su género de vida le predispone de ordinario a dejarse comprar por la mano y en interés de los reaccionarios» (*Manifiesto Comunista*, I, p. 47, edic. Toulouse, 1946; traducción de Rafael García Ormaechea).

Porque ellos eran los más encarnizados enemigos de su libertad, de su soberanía... Ellos conocían que sólo un rey absoluto, con los horrores de la horca, con las hogueras de la Inquisición y todos los martirios que inventó el averno podía entronizar el fanatismo sobre la tumba de la libertad...

Los frailes no son, pues, compatibles con la civilización y libertad de los pueblos (páginas 56-57) (6).

Y sobre el segundo asunto, baste lo siguiente:

Los enemigos del orden público, los que sólo medran en asquerosos motines, supieron aprovecharse hábilmente de las angustias del pueblo de Madrid y hasta de la predisposición y sed de venganza que se notaba en todos... (página 54).

También Galdós ofrece una explicación de la ira popular, en los siguientes términos:

El pueblo es conductor admirable de las buenas como de las malas ideas, y cuando una de éstas cae bien en él, le gana por completo y le invade en masa. Bien pronto la arpía individual fue una arpía colectiva, un monstruo horripilante que ocupaba media calle y tenía cua-

_____

(6) Ayguals es un anticlerical convencido. En 1845, por ejemplo, aparece su voluminosa obra *Los jesuitas, o análisis documentado de la Compañía de Jesús por las autoridades más competentes, desde su fundación, en el año 1540.*

trocientas manos para amenazar... (p. 290; cf. también p. 134).

Más adelante Galdós utiliza en concreto los términos *populacho* y *plebe* (pp. 297, 305), en la línea de distinguir al pueblo como tal de los grupos irracionales y desclasados de asesinos. Baroja, por un lado, simplifica elementalmente sus opiniones:

> Así es el pueblo: cruel y tornadizo como un niño (p. 1102),

al tiempo que hace decir a sus personajes algo ya conocido: los frailes merecen lo que les sucede

> porque están impulsando al carlismo. Los carlistas, que estaban escondidos en los conventos, han salido, disfrazados de frailes, a reunirse con Merino... Por ellos está toda España llena de carlistas... (pp. 1102-1103) (7).

El ambiente anticlerical aparece cuidadosamente delineado en Galdós, y en menor grado en Baroja; baste mencionar las coplas que se cantaban por las calles de Madrid.

> Reinará don Carlos
> con la Inquisición,
> cuando la naranja
> se vuelva limón (Galdós, p. 110).

---

(7) Resulta impresionante que hechos como el mencionado se repitiesen punto por punto cien años después, y también en otro siniestro del mes de julio, el de 1936. Cf. Pirala, *op. cit.*, pp. 419-420.

Baroja, a su vez, inserta la tal canción en su novela, pero de modo más extenso y haciendo que sea el famoso conspirador Aviraneta —personaje sobre el que habré de volver algo más abajo— el inspirado autor:

> Al tun tun, paliza, paliza;
> al tun tun, sablazo, sablazo;
> al tun tun, ¡mueran los realistas!;
> al tun tun, que defienden a Carlos.
> En la callejuela,
> en el callejón,
> dadles buenas tundas,
> sin vacilación.
> Reinará don Carlos
> con la Inquisición
> cuando la naranja
> se vuelva limón.

Y ésta es otra de las coplas del momento:

> ¡Muera Cristo,
> viva Luzbel!
> ¡Muera don Carlos,
> viva Isabel! (Galdós, p. 276) (8).

---

(8) Señala Baroja —que también inserta tan demoníaca cuarteta— que esta copla «no se ha cantado nunca» en Madrid, y que apareció originalmente y sin duda como maniobra provocadora, en la propaganda carlista (p. 1031). Ayguals no utiliza en *María* este tipo de documentos folklórico-revolucionarios, quizá porque él mismo es autor de composiciones semejantes. Véase el siguiente ejemplo, publicado el 15 de abril de 1845 en el periódico *El fandango* (*apud* Zavala, art. cit., p. 173): «—Acúsome, padre mío, / de un gran crimen, dijo Inés. / —Diga, hermanita, ¿cuál es? —Haber leído el *Judío*. / —De

Los frailes de Madrid, en fin, son acusados del «envenenamiento de las aguas» (Ayguals, pág. 58), o, como dice Galdós, y siguiendo a éste Baroja, de haber echado «cosas malas en el agua» (Galdós, páginas 290, 291; Baroja, p. 1101). El primer crimen ocurrió el 16 de julio, chispa que enciende los ánimos populares:

Vio asesinar cruelmente a un chico por echar tierra en las cubas de los aguadores. Esta travesura, frecuente entonces, se castigaba comúnmente a pescozones. Las cosas habían variado, y los ángeles traviesos eran tratados como los más grandes criminales... (p. 288, Galdós) (9).

Los asaltos a conventos y las subsiguientes matanzas tienen lugar el 17 de julio. Una vez más, Pirala nos proporciona una base documental tan detallada como objetiva:

---

cólera estoy que gruño; / ¡no hay absolución! / —¿Por qué? / —Porque este maldito Sue / dice verdades de a puño.» El título dice: *Otro ejemplo de mansedumbre evangélica.*

(9) Ayguals se refiere a este hecho en dos lugares de *María.* En la p. 54 aparece un grabado con la escena descrita, y en nota al pie se dice: «Fuente de la Puerta del Sol, donde fue asesinado por la turba un infeliz aguador, que supusieron envenenaba las aguas de orden de los frailes...» Algo más adelante (p. 58) amplía Ayguals lo dicho y lo aplica a «varias de las principales fuentes de Madrid». La *Historia* de Pirala cuenta así lo ocurrido, sin especificar en qué fuente tuvo lugar el crimen: «Se vio a un muchacho jugar entre unas cubas, y descargó sobre él la furia popular, porque se dijo que se valían hasta de los niños para no infundir sospechas de su depravado intento» (p. 436).

Los frailes eran los fantasmas del populacho de Madrid, que, desenfrenado y rabioso, empezó por asesinar al fraile que veía en la calle y acabó por escalar los conventos, robar las celdas y profanar los sagrados templos. Hombres infames y mujeres inmundas corrían por los claustros y hasta por las iglesias, asesinando los unos y robando las otras. Allí no era respetada la juventud ni la ancianidad... *(Historia,* página 438).

Ayguals narra con precisión el asalto a San Francisco el Grande:

Cubiertos de polvo y de sudor aquellos rostros repugnantes, sólo abrían la boca para vomitar blasfemias. Los asquerosos andrajos que cubrían sus cuerpos salpicados de sangre daban un aspecto infernal a tan desastrosa escena. Los infelices religiosos eran degollados al pie de los altares, y los ayes de las moribundas víctimas se confundían con los aullidos de los asesinos... Pero esta profanación inaudita llegó al extremo de ser solemnizada con asquerosas bacanales por mujercillas indecentes, que con las casullas puestas, sacadas de los conventos, paseábanse por las calles profiriendo voces obscenas, parándose en las tabernas para saborear el vino en los mismos cálices... (páginas 58-59; cf. también 60-62).

Por su parte, Galdós describe las matanzas ocurridas en San Isidro, el Colegio Imperial dirigido por los jesuitas, novelizando vívidamente el hecho histórico:

... formaban un grupo imponente, montón de humanidad digno de un basurero, en el cual brillaban aceros y navajas y burbujeaban blasfemias... El padre Sauri desapareció. No puede describirse su horroroso martirio. De manos de los monstruos pasó a las de unas cuantas arpías, que le arrastraron hasta la plazuela de San Miguel, mutilando su sangriento cadáver en el camino. En tanto los asesinos se difundieron por los inmensos claustros del vasto edificio. Oíanse pasos precipitados y ayes lastimeros en lo alto; violentos golpes de puertas que se cerraban... (p. 299; cf. también 301, 303-306).

Asimismo, Baroja se ocupa —como Galdós— de los sucesos de San Isidro:

Empujado por los curiosos avanzó Chamizo por la calle de Toledo abajo. Subieron en dirección contraria un grupo de hombres, mujeres y chiquillos desharrapados, manchados de sangre, caras hurañas, gente frenética, gritando, con espuma en la boca. Entre ellos iban busconas pintarrajeadas y dueñas de las mancebías con sacos llenos de botín. Algunos hombres iban armados con fusiles con la bayoneta calada; otros, con navajas, palos y martillos, y a manera de trofeo arrastraban ornamentos de iglesia... (pp. 1101-1102).

Vemos así cómo las tres narraciones novelescas coinciden básicamente en unos caracteres comunes, insistiendo en los aspectos más brutales y crueles del *populacho* (10). Ayguals y Galdós —no así Baroja, que calla significativamente— mencionan con elogios el hecho de que si bien la Milicia Urbana (creada el 15 de febrero de 1834, recordando la Milicia Nacional del liberalismo anterior) no recibió órdenes de actuar para mantener el orden, algunos de sus componentes intervinieron a título personal tanto para calmar los ánimos como para salvar vidas humanas. Como señala Pirala,

> algunos se salvaron en una capilla por los esfuerzos de un valiente militar; otros debieron la vida a algunos milicianos... *(op. cit.,* p. 439).

Para un demócrata como Ayguals, que defiende a lo largo de *María* la institución de la Milicia (cf., por ejemplo, p. 60), tal realidad histórica es convenientemente aprovechada, y hace que —de acuerdo con las más estrictas reglas folletinescas— sea el padre de la angelical joven quien salve de la degollina de San Francisco el Grande precisamente a fray Patricio, «el indigno sacerdote que quiso comprar con el dinero un amor que la virtuosa niña no

---

(10) Los conventos atacados —en ello coinciden todos los autores— fueron los de San Isidro, San Francisco el Grande, Santo Tomás y La Merced. En cuanto al número de víctimas, la cifra varía: «cerca de ochenta» (Pirala, p. 440); «un centenar casi» (Mesonero Romanos, p. 206); «cincuenta individuos» solamente en San Francisco el Grande (Galdós, p. 311); «setenta y tantos» (Baroja, p. 1102).

podía sentir por aquel hombre repugnante» (p. 62). Y Galdós, al igual que Ayguals, llevado por su liberalismo, hace que un conocido personaje de sus *Episodios*, don Benigno Cordero —que fue miliciano nacional y héroe popular—, avise a los jesuitas de San Isidro de lo que se prepara contra ellos, con objeto de que estén prevenidos (pp. 278-281). Mientras tanto, y como ya fue mencionado, el Gobierno, irresoluto, no supo tomar medida alguna; era el Gobierno del *Estatuto Real*, promulgado en abril del 34, vergonzante sucedáneo de constitución (11). Esa indecisión, señalada tanto por los historiadores (12) como por Ayguals (p. 55), es comentada así por Galdós, con su característica ironía:

> Todavía en aquellos tiempos se dormía la siesta, y al día siguiente de aquel 16 de julio fue cuando la Providencia dispuso que el Gobierno durmiera una siesta célebre (p. 287; cf. también 310).

Tanto Baroja como Galdós ofrecen en sus respectivas novelas la idea de que tras los motines y matanzas de julio de 1834 se ocultaba muy posiblemente un cerebro oculto y criminal. Dice Galdós:

> Conocemos la víctima y el grosero instrumento. La mano, ¿qué mano era y dónde estaba? ¿Creemos en el espontáneo error del populacho y en un movimiento instintivo y ciego de su barbarie? Difícil es creer esto... ¿Fue el

(11) Cf. Lafuente, pp. 48-50 y 59-64.
(12) Pirala, p. 440; Lafuente, p. 70.

degüello cosa resuelta y ordenada en círculos obscuros, ávidos de maldad y escándalo...? (páginas 312-313).

Baroja describe en primer lugar una escena del famoso café de *La Fontana de Oro* —nido de liberales— en la noche del 17 de julio:

> Allí los oradores peroraban; a cada paso llegaban chiquillos andrajosos, señoritos pálidos, elegantes, manchados de sangre, y se les aplaudía y se les estrechaba la mano dándoles la enhorabuena (p. 1103).

Las implicaciones obvias —que los liberales cultos habían al menos participado en la degollina de frailes— se amplían poco después, en una conversación en que uno de los personajes piensa que

> eran los isabelinos y los carbonarios los inductores de la matanza... [la cual] la había decidido la Junta del Triple Sello, asociación satánica formada por masones, isabelinos y carbonarios, pero dirigida principalmente por éstos (pp. 1103-1104).

Tales insinuaciones, las galdosianas y las barojianas, apuntan a señalar la posibilidad de que fuesen los miembros de la sociedad secreta *La Isabelina* los inductores de los crímenes. Y es aquí donde aparece la inquietante figura de Eugenio de Aviraneta, conspirador liberal que tan importante papel representó entre los bastidores de la Historia de la época.

Ha sido, desde luego, Pío Baroja quien ha llevado a la literatura de modo tan exhaustivo como extraordinario a Aviraneta; toda la extensa serie de veintidós novelas conocidas bajo el título de *Memorias de un hombre de acción* (13) narra las andanzas del intrigante vasco. Baroja, no satisfecho aún con su trabajo narrativo, publicó todavía una biografía del curioso personaje, *Aviraneta o la vida de un conspirador* (Madrid, 1931; cf. en *OC*, IV, 1179-1336), en que utiliza abundantes pasajes de las *Memorias*, al pie de la letra en numerosas ocasiones (14). Nos enteramos así que Aviraneta era pariente lejano de la madre de Baroja (*Aviraneta*, p. 1181), y que éste se dedicó seriamente, a lo que parece, a documentarse sobre la vida de su héroe (*ibid.*, pp. 1181-1186) (15). La simpatía de Baroja por Aviraneta es patente a lo largo de las monumentales *Memorias*. Galdós es mucho más cauto al respecto, quizá por no ser ni vasco, ni pariente del personaje en cuestión ni tampoco «hombre de acción», y quizá también influenciado por las reticencias de los historiadores contemporáneos (15 bis):

---

(13) Cf. *OC*, III y IV (Madrid, 1947-1948).

(14) Los capítulos de *Aviraneta* titulados «La sociedad isabelina» y «La matanza de frailes» (pp. 1262-1266 y 1266-1268, respectivamente) coinciden en buena parte con lo dicho por el propio Baroja en *La Isabelina* (*OC*, III, 1011-1111). Cf. Francisco J. Flores Arroyuelo, *Pío Baroja y la historia* (Madrid, 1971), en que se estudia de modo especial todo lo referente a Aviraneta.

(15) Tal documentación no impide que Baroja equivoque una fecha importante que menciona, la de la jura de la princesa Isabel por las Cortes, celebrada el 20 de julio de 1833, no el 30, como él dice (*La Isabelina*, p. 1041). Cf. Pirala, pp. 155-156.

(15 bis) Cf., por ejemplo, Juan Rico y Amat, *Historia política y parlamentaria de España*, III (Madrid, 1862), 167.

Aviraneta, justo es decirlo, tenía de todo menos de espíritu puro... fue el que después ad-
quirió celebridad fingiéndose carlista... hasta
que precipitó la defección de Maroto, prepa-
rando el convenio de Vergara y la ruina de las
facciones... era aquel hombre un colosal genio
de la intriga... (Galdós, pp. 79-80; cf. también
64-65).

Aviraneta fue uno de los fundadores de la sociedad
secreta *La Isabelina,* cuyo nombre da el título a la
novela de Baroja así llamada. Sociedad un tanto os-
cura, no muy bien conocida todavía en lo que a sus
orígenes y verdaderos fines se refiere, organizada al
modo de masones, comuneros y carbonarios (16).
Señala Pirala que

contra lo que algunos han creído, podemos ase-
gurar que la matanza de los frailes no fue un
acto preparado por la sociedad; trató luego,
es cierto, de aprovecharse de él (17).

Sin embargo, las misteriosas actuaciones de *La
Isabelina* y del propio Aviraneta, así como las confu-
sas motivaciones de la degollina de 1834, crearon a
tales hechos y figuras una leyenda en la que los
elementos reales no son fácilmente discernibles; el
propio Baroja indica que

---

(16) Cf. Pirala (pp. 442-447) y Lafuente (pp. 72-73); también
Mariano Tirado y Rojas, *La Masonería en España,* II (Madrid,
1843), 82. El propio Aviraneta redactó unos *Estatutos de la
confederación general de los guardadores de la inocencia o isa-
belinos* (Burdeos, 1834).
(17) *Op. cit.,* p. 442.

En Madrid, un viejo me contó que don Eugenio solo, con una navaja, degolló a varios frailes en el colegio de San Isidro en 1834 (18).

Baroja manejó tanto las publicaciones históricas del siglo XIX como las del propio Aviraneta, y sin duda —si bien no lo confiesa— las novelas de Galdós. Al final de la biografía de su héroe incluye copia de un artículo publicado en México por Luis de Larroder, sobrino segundo del conspirador y pariente también, por tanto, de Baroja, artículo en que, entre otros curiosos detalles, se dice que Aviraneta escribió «ocho cuadernos» sobre la historia secreta del Convenio de Vergara, que puso fin a la primera guerra carlista, asunto en el cual el aventurero participó muy directamente:

> y ahí tienen ustedes a Pérez Galdós para sus inmortales *Episodios Nacionales*, a Pirala para su *Historia de la guerra carlista* [sic], al mismo general Esparteros por segundas manos, ofreciendo dádivas para poseer semejante escrito... El mismo Pío Baroja quiso hacerse con ellos no hace muchos años (19).

La declaración de Larroder es importante porque

---

(18) *Desde el principio hasta el fin*, OC, IV, 1161.
(19) Larroder, «Eugenio de Aviraneta, aventurero de los tiempos románticos», en *El cronista de hogaño*, México, mayo de 1925 (*apud* Baroja, *Aviraneta*, pp. 1334-1335). Sobre Aviraneta y Vergara, cf. Baroja, especialmente *Las figuras de cera, La nave de los locos* y *Las mascaradas sangrientas*, en las *Memorias de un hombre de acción*; Galdós, p. 80; Pirala, *op. cit.*, V (Madrid, 1869).

complementa algo sabido por otros medios: no sólo la preocupación que Galdós y Baroja tenían por documentarse históricamente para sus novelas, sino además, y ello es interesante, porque sirve para revelar una diferencia fundamental entre ambos escritores. No habiendo llegado a sus manos el documento de Aviraneta, Galdós se limita a mencionar de pasada la intervención de aquél en los preparativos clandestinos de la paz de Vergara (20). Por su parte, Baroja noveliza en varias narraciones —ya citadas— con toda clase de detalles, no dudando en inventar todo aquello que no conoce directamente sobre las actividades de Aviraneta en el final de la guerra civil (21).

Que Baroja, por último, conocía perfectamente la obra de Galdós y su técnica de interrelacionar Historia y novela, es cosa que no precisa comentario alguno (22), lo mismo que ocurre dentro de los más escuetos ámbitos del episodio de 1934 aquí comentado. Baste, en este sentido, un pequeño pero totalmente revelador detalle. En *Un faccioso más*, el héroe, Salvador Monsalud, se encuentra en el curso de sus correrías por Madrid en una buñolería de la calle de los Estudios, descrita del siguiente modo:

---

(20) Cf., además de lo mencionado, el episodio galdosiano titulado precisamente *Vergara* (1899).

(21) Es cierto, con todo, que Baroja declara paladinamente (*Aviraneta*, p. 1186) que «en muchas cosas me he basado en hechos; en otras, únicamente en indicios».

(22) Cf. capítulo III del presente libro, notas 98 y 133. Flores Arroyuelo (*op. cit.*, pp. 355-367) incluye numerosas opiniones de Baroja sobre Galdós y se hace eco de las posibles semejanzas existentes entre ambos autores.

En el caldero, que era grandísimo, ventrudo y negro, hervía un mediano mar amarillo con burbujas que parecían gotas de ámbar bailando sobre una superficie de oro... El hombre que estaba junto al cazuelón y sobre él trabajaba, habría pasado en otro país por prestidigitador o por mono... (p. 109).

Monsalud busca a un personaje llamado Tablas, borracho y anticlerical —lo cual no era óbice para que prestara sus servicios a un conspirador carlista de relieve—, el cual más adelante intervendrá en la matanza de frailes. Y en *La Isabelina* barojiana, uno de sus breves capítulos se titula precisamente «En la buñolería», situada esta vez en la Plaza Mayor esquina a la calle de Ciudad Rodrigo:

Era el local un sitio negro, lleno de una muchedumbre mal encarada y andrajosa. En un rincón había una cocina ahumada, con un zócalo de azulejos blancos, y dentro de la chimenea dos grandes calderos, donde el buñolero, un hombre rubio, gordo, con una elástica que debía ser blanca, pero que era negra, aparecía sudoroso entre resplandores de llamas friendo churros y buñuelos... (p. 1049).

Aviraneta y un amigo ven interrumpida su conversación por la presencia de otro borracho, no muy diferente al Tablas galdosiano:

Porque yo digo y sostengo que si hay resolución..., pues lo hay *toó*... Constitución... y Cámara..., y ¡viva la Angélica!... (p. 1051).

Resulta claro que no se trata de una simple coincidencia político-costumbrista.

Al llegar a este punto se imponen algunas consideraciones finales que resuman lo hasta aquí dicho o sugerido. Aparte de que Galdós y Baroja manejen una base documental común, es obvio que ambos, a su vez, conocen la figura y la obra de Ayguals de Izco. Que Ayguals es un «pregaldosiano», o a la inversa, que Galdós asimila diferentes elementos de aquél, es cosa conocida (23). Con ironía maleante, se incluye en *Misericordia* el siguiente diálogo entre el «elegante fósil» Frasquito Ponte y Delgado y la señora Obdulia:

—Eugenio Sue, que escribió, si no recuerdo mal, *Los pecados capitales* y *Nuestra Señora de París*.

—*Los misterios de París*, quiere usted decir.

—Eso... ¡Ay, me puse mala cuando leí esa obra de la gran impresión que me produjo!

—Se identificaba usted con los personajes y vivía la vida de ellos.

—Exactamente. Lo mismo que me ha pasado con *María, o la hija de un jornalero*... (24).

Por otra parte, la crítica ha hallado semejanzas temáticas entre *La campaña del Maestrazgo* galdo-

---

(23) Cf. Zavala, art. y libro citados; Benítez, *op. cit.*, sección titulada «Ayguals en Galdós»; Francisco Ynduraín, *Galdós, entre la novela y el folletín* (Madrid, 1970).
(24) *OC*, V (Madrid, 1967, 5.ª), 1922.

siana y *El tigre del Maestrazgo* de Ayguals (Madrid, 1846-48), entre *Marianela* y *El palacio de los crímenes* o *El pueblo y sus opresores, tercera época de María* (Madrid, 1855), entre las series de *Torquemada* y *Los pobres de Madrid* (Madrid, 1856-57).

Baroja también hace varias referencias directas al autor de *María*. Así en *El escuadrón de «Brigante»* (Madrid, 1913), en que se dice que el título de la marquesa de Monte-Hermoso parecía «de novela folletinesca por el estilo de las que después ha escrito mi amigo Ayguals [sic] de Izco» (25). En *El sabor de la venganza* (Madrid, 1921) aparecen en una librería de viejo, entre otras cosas, un tomo de *El palacio de los crímenes*, de Ayguals (26). Y, en fin, en *Las furias*, también de 1921, hace Baroja su malévolo retrato del folletinista:

> Ayguals de Izco, el de Vinaroz, masón muy activo y entusiasta de la escenografía del triángulo y de la escuadra, tipo pequeño, barbudo y un poco ridículo, que luego se hizo célebre con su novela, a estilo de Eugenio Sue, *María, o la hija de un jornalero* (27).

Como asimismo es notorio en Galdós y en Baroja abundan elementos considerados como típicos del folletín. Se ha dicho que Galdós heredó el público de

---

(25) *OC*, III, 130.
(26) *OC*, III, 1197.
(27) *OC*, III, 1257-1258. Nótese que los tres textos barojianos citados pertenecen a las *Memorias de un hombre de acción*. Se sabe, por otra parte, que para ciertos aspectos de su retrato del carlista Cabrera, Baroja se inspiró en la novela de Ayguals *El tigre del Maestrazgo*: cf. Flores Arroyuelo, *op. cit.*, p. 119.

tal género, al cual hace cierto tipo de concesiones (28); *El Audaz* (1871) es prueba concluyente de ello. Galdós, en efecto, conoce perfectamente el mecanismo sociológico del folletín, sus características de publicación, de forma y de intención. En el capítulo I de *Tormento* (1884), José Ido del Sagrario aparece convertido en folletinista, y a través de la ironía galdosiana, quedan claras, sin embargo, algunas cosas importantes. Por ejemplo:

> El editor es hombre que conoce el paño, y nos dice: «Quiero una obra de mucho sentimiento, que haga llorar a la gente y que esté bien cargada de moralidad» (29).

O:

> Yo me inspiro en la realidad. ¿Dónde está la honradez? En el pobre, en el obrero, en el mendigo. ¿Dónde está la picardía? En el rico, en el noble, en el ministro, en el general, en el cortesano... Aquéllos trabajan, éstos gastan. Aquéllos pagan, éstos chupan. Nosotros lloramos y ellos maman (30).

Sobre las aficiones folletinescas de Baroja baste hojear las *Memorias* del novelista (Madrid, 1944) y el *Ensayo sobre la literatura de cordel* (Madrid, 1969), de su sobrino Julio Caro Baroja. Que el folletín era lectura preferida del pueblo, pero también

---

(28) Cf. Benítez, introducción a su *op. cit.;* véase más arriba, nota 23.
(29) *Tormento, OC,* IV (Madrid, 1954, 3.ª), 1456.
(30) *Ibid.,* p. 1457.

de gentes cultivadas, de revolucionarios, es asimismo incontrovertible. El propio Aviraneta —el real, no el novelizado— tenía en sus últimos tiempos como distracción

> leer folletines de periódicos junto al clásico brasero, odiando hablar de política (31).

El dirigente anarquista Anselmo Lorenzo declaraba en 1900:

> Mi iniciador en las ideas de reforma social fue Eugenio Sue. *El judío errante* y *Los misterios de París* me dieron una triste idea de la sociedad, produciéndome asombro y desconsuelo tan refinada maldad empleada en la lucha de pasiones e intereses tan discordantes. *Martín el Expósito* fijó mis ideas... Desde entonces soy anarquista (32).

En efecto, el papel revolucionario del folletín popular no fue, en modo alguno desdeñable. Un historiador de nuestros días, y conservador, lo ha explicado del siguiente modo:

> A las capas sociales donde no llegaba la especulación doctrinal del tribuno o del escritor, las calaba ese tipo de literatura popular, y

---

(31) Larroder, art. cit., *apud* Baroja, *Aviraneta*, p. 1334. Para Flores Arroyuelo (*op. cit.*, p. 351), «muchas de las novelas de Baroja son auténticos folletines, aunque ascendidos a una categoría muy superior».

(32) Citado en Federico Urales, *La evolución de la filosofía en España* (Madrid, 1968), p. 96, edic. Rafael Pérez de la Dehesa.

acrecía el ascendiente de esos factores sobre la conciencia revolucionaria un instintivo odio de clases (33).

No puede sorprender, por lo tanto, que reaccionarios y moderados mirasen no sólo con sospecha sino también con horror tal género «sub-literario»; una revista de la época de Ayguals, titulada muy apropiadamente *La censura,* atacaba violentamente el folletín en general y *María* en particular (34). Los comentarios, en fin, de Karl Marx acerca de Eugenio Sue y de su obra, constituyen páginas básicas para la comprensión del hecho folletinesco (35).

Hemos visto hasta aquí de qué modo un mismo suceso histórico es utilizado e insertado en novelas de Ayguals, Galdós y Baroja, qué elementos tienen los tres en común y varias diferencias que entre ellos existen. Pero resulta obvio que más allá de intereses básicos y más allá de posibles semejanzas o divergencias estilísticas y narrativas, hay algo que señala clara y distintamente lo que separa a los tres novelistas, y es el respectivo concepto que tienen de la Historia. En el caso de Ayguals, folletinista tan típico como auténtico, se trata de una Historia dico-

----

(33) Melchor Fernández Almagro, *Historia política de la España contemporánea, 1868-1885* (Madrid, 1969), p. 32. Fernández Almagro se refiere en concreto a *Los miserables,* de Victor Hugo; *Los misterios de París,* de Eugenio Sue, y *María,* de Ayguals.

(34) Cf. Zavala, art. cit., pp. 171-172 y 177.

(35) Cf. en Marx-Engels, *Sobre arte y literatura* (Buenos Aires, 1964), pp. 118-124; originalmente, en *La sagrada familia.* Y también Arnold Hauser, *Historia social de la literatura y el arte,* III (Madrid, s. f.), 990-994. Cf., asimismo, las obras citadas en nota 2.

tómica, en que las viejas fuerzas del Bien y del Mal se enfrentan violentamente, y en la cual los de abajo, por el hecho de serlo —el *populacho*, desde luego, es otra cosa— reúnen todas las grandezas morales que las clases directoras (Iglesia, Aristocracia, Plutocracia) han perdido para siempre (36). Es una Historia en blanco y negro, optimista por progresista y demócrata, sin complejidad ni profundidad algunas, elemental y romántica, y en la cual el Bien termina por triunfar (37). Para Galdós, la Historia es algo mucho más complejo y vivo, una Historia que si bien en la época de *Un faccioso más y algunos frailes menos* (1879) no aparece todavía en su correcto marco dialéctico, se aproxima ya en varios aspectos al concepto hegeliano y socializante, marxistoide incluso, que puede apreciarse en *Fortunata y Jacinta* (1886-1887) o más tarde aún en *El caballero encantado* (1909) (38). En Baroja, en fin, hallamos una tercera posición. Parte, en efecto, de una idea para él fundamental:

la historia es una rama de la literatura que está sometida a la inseguridad de los datos, a la ignorancia de las causas de los hechos y a las tendencias políticas y filosóficas que corren por el mundo (39).

---

(36) La novela de Ayguals, *La bruja de Madrid* (Madrid, 1849-1850), lleva el significativo subtítulo de *Pobres y ricos*.

(37) Cf. Ferreras, *op. cit.*, pp. 270-271 y 287-290, y Benítez, *op. cit.*, «Tratamiento de la historia».

(38) Cf., respectivamente, capítulos I, II y III del presente libro. Lo dicho allí me exime de ser más extenso en este momento.

(39) *Apud* Flores Arroyuelo, *op. cit.*, p. 21. Con esta posición

Para Baroja, por otra parte, la Historia no la hacen los pueblos, las colectividades, sino los individuos, los llamados «hombres de acción», de acuerdo con unas ideas confusamente nietzscheanas (40) y anarcoides, sostenidas tan incoherente como contradictoriamente por quien, como Baroja, fue toda su vida un sedentario incapaz del tipo de actividades de su héroe Aviraneta. El cual, a través de las extensísimas *Memorias de un hombre de acción*, emerge como casi el único personaje barojiano por el cual su autor siente simpatía decidida, frente a la nutrida galería de tipos frustrados, odiosos o ridículos que normalmente se complace en retratar (41).

se identifica el propio Flores Arroyuelo, dicho sea de paso, quien, en la p. 367, escribe algo que no deja de ser curioso: «Baroja, independiente en cuanto a filiación política se refiere, supo dar una visión subjetiva y austera del pasado histórico español, y por eso mismo netamente objetiva» [sic].

(40) Cf. Gonzalo Sobejano, *Nietzsche en España* (Madrid, 1967), pp. 347-395.

(41) Cf. José Ortega y Gasset, «Ideas sobre Pío Baroja» y «Pío Baroja, anatomía de un alma dispersa», en *El espectador*, I (Madrid, 1960), especialmente 124-131 y 187-193. Sobre Baroja y su concepto de la Historia, cf. también José Antonio Maravall, «Historia y novela», en *Pío Baroja y su mundo*, I (Madrid, 1962). Fundamental a este respecto es el libro de Carlos Blanco Aguinaga, *Juventud del 98* (Madrid, 1970), pp. 229-290.

V

CUATRO NOTAS GALDOSIANAS

a) *Galdós y Francisco Santos*

Conocido es el hecho de que Galdós se inspiró para muchos detalles ambientales de su mundo madrileño en los escritores costumbristas del siglo xix, y de manera muy particular en Mesonero Romanos (1). Mas parece también claro que Galdós buscó documentación en textos del Siglo de Oro (cf. como ejemplo máximo sus relaciones con Cervantes, en capítulo II de este mismo libro). Así sucede, en tono menor, con Francisco Santos, autor, entre otros numerosos libros, del titulado *El arca de Noé y campana de Belilla* (Madrid, 1697), un pasaje del cual coincide sorprendentemente con otro de *Misericordia* (2). En efecto, en el libro de Santos, un grupo

---

(1) *Panorama Matritense*, 1832-1835; *Escenas Matritenses*, 1836-1842; *Memorias de un setentón*, 1880; cf. sus *Obras* (Madrid, 1881). Ha sido José F. Montesinos, entre otros, quien ha notado estas conexiones entre Galdós y Mesonero Romanos; cf. su *Costumbrismo y novela* (Madrid, 1960), pp. 73-74, 137.

(2) Montesinos afirma rotundamente (*op. cit.*, p. 14) que a Francisco Santos «nadie leía ya» en el siglo xix. Sin embargo, en la pasada centuria, hubo todavía alguna edición de Santos: *Día y noche de Madrid* (París, 1847; *ibid., Colección de los mejores autores españoles*, vol. XXXVIII, 1847; *Biblioteca de Au-

de mendigos discute ante la puerta de una iglesia madrileña, acusándose unos a otros de pedir limosna sin realmente necesitarlo:

Allí salió a plaça pública una voz de «Pícaro engañador, que quitas la limosna a los pobres; tú tienes casa propia y corral de gallinas, tu muger lava, después de haver traído estiércol en el borriquillo: ¿por qué no dexas la vida poltrona?» «¿Y tú (dixo el agraviado), que tienes quatrocientos ducados a ganar...?» (3).

Y véase lo que escribe Galdós en las conocidas páginas iniciales de *Misericordia*, en que otros mendigos disputan en la puerta de la iglesia de San Sebastián, lanzándose acusaciones muy semejantes y en situación exacta a la descrita por Santos:

—Adulona, más que adulona, ¿crees que no sé que estás rica, y que en Cuatro Caminos tienes casa con muchas gallinas, y muchas palomas, y conejos muchos? Todo se sabe.

—Vive en Cuatro Caminos, donde tiene corral, y en él cría, con perdón, un cerdo...

—La corcovada es su hija, y por más señas costurera, ¿sabes?, y con achaque de la joroba pide también. Pero es modista, gana dinero

---

tores españoles, vol. XXXIII). Sobre Santos, cf. mi estudio preliminar a la edición de dos de sus obras, *El no importa de España* y *La verdad en el potro* (Londres, 1973; Támesis Books).

(3) *El arca de Noé y campana de Belilla*, ed. Fernando Gutiérrez (Barcelona, 1959), p. 100.

para casa... El marido... es uno que vende teas
y perejil (4).

b) «*Esperpento*»

V. A. Smith y J. E. Varey han estudiado el uso
de la palabra *esperpento* en algunas novelas de Galdós (5). Los citados hispanistas británicos mencionan utilizaciones del término en novelas galdosianas
anteriores a 1891 (6): *La desheredada* (1881), *La de
Bringas* (1884), *Lo prohibido* (1885), *Torquemada en
la hoguera* (1889), *Angel Guerra* (1891)... Mas el rigor, *esperpento* consta en Galdós bastantes años antes, ya en 1874, fecha del episodio *Cádiz*. En él aparece el caballero don Pedro del Congosto con ridículos
pormenores :

vimos aparecer a un hombre como de unos
cincuenta años, flaco, alto, desgarbado y tieso.
Tenía, como don Quijote, los bigotes negros,

_____

(4) *Misericordia, OC,* V (Madrid, 1963), pp. 1881 y 1882-83.
(5) «*Esperpento*: Some Early Usages in the Novels of Galdós», en *Galdós Studies,* ed. J. E. Varey (Londres, 1970), pp. 195-
204. E. Inman Fox había notado (en «Galdós *Electra*...», *AG,* I,
1966, 141, nota 6), que en el periódico *La Epoca* (2-II-1901)
Electra «was called an *esperpento,* and this epithet became
common in later articles. Although Corominas tells us that
the word was first used in 1891, we wonder if *Electra* is the
first *play* to be so termed» (cf. nota siguiente).
(6) Parten de esta fecha debido al dato proporcionado por
Joan Corominas (*Diccionario crítico-etimológico de la lengua
castellana,* II, Berna, 1954, 389), según el cual *esperpento* aparece por primera vez en Juan Valera («*Pequeñeces.* Currita Albornoz al P. Luis Coloma» —de 1891—; cf. *OC* de Valera, II,
Madrid, 1949, 2.ª, 862): Currita le dice a su creador: «Me presenta usted tan ajada y marchita, que parezco un *esperpento.*»

largos y caídos; los brazos y piernas, como palitroques; el cuerpo, enjutísimo; el color, moreno... Pero lo más singular de aquel singularísimo hombre era su vestido, a manera de los de carnaval, consistente en pantalones a la turquesa, atados a la rodilla; jubón amarillo y capa corta encarnada o herreruelo; calzas negras, sombrero de plumas, como el de los alguaciles de la plaza de toros, y en el cinto, un tremendo chafarote, que iba golpeando en el suelo, y hacía, con el ruido de las pisadas, un compás triple, cual si el personaje anduviese con tres pies. Parecerá a algunos que es invención mía esto del figurón que pongo a los ojos de mis lectores... (7).

Don Pedro surge páginas después al frente de un grupo de *Cruzados del Obispado de Cádiz* para ofrecer sus servicios a la Junta Central contra los invasores napoleónicos (pp. 673-674), y de nuevo en estos términos:

Acababa de entrar una figura estrambótica, un mamarracho de los antiguos tiempos, una caricatura de la caballería, de la nobleza, de la dignidad, del valor español de otras edades. *Mirando aquella figura sainetesca...* (p. 754).

Nótese ya la referencia teatral, *sainetesca*, de especial importancia, pues como puede verse en nota número 5, no será hasta 1901 cuando se utilice

(7) *Cádiz*, *OC*, I (Madrid, 1945), 666.

esperpento en conexión con el teatro. La figura del caballero don Pedro reaparece finalmente resumida en latín macarrónico de la siguiente y breve forma:

Esperpentis Congosto (p. 758).

Esta parece ser, por lo tanto, la primera utilización galdosiana del término, en forma que exige, para su real comprensión, conocer las mencionadas descripciones previas del personaje, verdaderamente *esperpénticas*. El «latinismo», por otra parte, añade un elemento más de deformación ridícula al tipo quijotesco de don Pedro del Congosto, cuyo último retrato coincide ya por completo con lo *esperpéntico* auténtico, el de Valle Inclán:

> Y apaleado, pinchado, empujado, arrastrado fue conducido hacia la puerta como en grotesco triunfo... Unos tocaban cuernos, otros golpeaban sartenes y cacharros, otros sonaban cencerros y esquilas... Ya en lo alto de la muralla dejaron de mortificar al héroe, y llevado en hombros, su paseo por delante de las barracas fue un verdadero triunfo. La espada de don Pedro quedó abandonada en el suelo. Era, según antes he dicho, la espada de Francisco Pizarro... A tal estado habían venido a parar las grandezas heroicas de España (página 758) (8).

---

(8) Cf. en este mismo libro, capítulo III, nota 134, sobre el Valle-Inclán antigaldosiano, el que escribió en *Luces de bohemia* la famosa y desgraciada frase de «Don Benito el garbancero».

c) *Galdós y García Márquez*

Sin poder usar de forma clara el concepto de influencia, pues no es seguro que Gabriel García
Márquez haya leído a Galdós, al menos al último
y no muy conocido Galdós de *Casandra* (Madrid,
1905), resulta interesante notar la evidente semejanza existente entre ciertos aspectos de esta novela y otros de *Los funerales de la Mamá Grande*
(Xalapa, 1962; utilizo la edic. de Buenos Aires,
1967) (9). Pues, en efecto, la proximidad de ambas
narraciones es, sin duda, sorprendente. Doña Juana Samaniego —la peninsular— y doña María del
Rosario Castañeda y Montero —la colombiana—
parecen parientes cercanas. Si la primera ha llegado a ser lo que es gracias a su marido, ya difunto,
la segunda se convirtió en la *Mamá Grande* después de la muerte de su padre. Ambas dejan este
mundo en olor de santidad, con gran copia de
sobrinos preocupados con la herencia; ambas son
—como lo fue anteriormente Doña Perfecta— caciques con faldas; ambas son, en fin, terratenien-
tes, latifundistas y oligarcas:

---

(9) Acerca de lo que García Márquez dice sobre ciertos autores que hayan podido influir en él, cf. Armando Durán, «Conversaciones con García Márquez», en *Recopilación de textos
sobre Gabriel García Márquez* (La Habana, 1969), p. 37. Por
otro lado, el colombiano Jorge Zalamea publicaba en Buenos
Aires, 1952, *El gran Burundún Burundá ha muerto,* que también
podría ser un antecedente de *Los funerales;* cf. Mario Vargas
Llosa, *García Márquez. Historia de un deicidio* (Barcelona, 1971),
pp. 166-169.

ese inmenso grupo de propiedad... que llaman por ahí *el latifundio de doña Juana...*, ese conglomerado de riqueza rústica que empieza en tierra de Toledo, cruza por Avila y amenaza comerse media provincia de Salamanca... (*Casandra*, p. 10; cf. también p. 42);

ese territorio ocioso, sin límites definidos, que abarca cinco municipios y en el cual no se sembró nunca un solo grano por cuenta de los propietarios..., calculado a primera vista en 100.000 hectáreas... (*Funerales*, p. 135; cf. también p. 129).

El «patrimonio invisible» de la Mamá Grande, anotado cuidadosamente por García Márquez en página antológica, incluye

la riqueza del subsuelo, las aguas territoriales, los colores de la bandera, la soberanía nacional, los partidos tradicionales, los derechos del hombre, las libertades ciudadanas, el primer magistrado, la segunda instancia, el tercer debate, las cartas de recomendación, las constancias históricas, las elecciones libres, las reinas de la belleza, los discursos trascendentales, las grandiosas manifestaciones, las distinguidas señoritas, los correctos caballeros, los pundonorosos militares, su señoría ilustrísima, la corte suprema de justicia, los artículos de prohibida importación, las damas liberales, el problema de la carne, la pureza del lenguaje, los ejemplos para el mundo, el orden jurídico, la prensa libre pero responsable, la Atenas sudamericana, la opinión pública, las lecciones democráticas, la moral cristiana, la escasez de divisas, el derecho de asilo, el peligro comunista, la nave del estado, la carestía de la vida, las tradiciones republicanas, las clases desfavorecidas, los mensajes de adhesión (*Funerales*, p. 135; cf. también p. 129).

Doña Juana Samaniego, por su parte, es representante y administradora de un Dios muy particular; la enumeración de sus características, en tópicos y frases hechas también, es reveladora. Se trata del

Dios de los ricos... Dios Gacetable, Dios de Gobernación y de Gracia y Justicia, Infinitamente reglamentario, Eterno en su doble Naturaleza teológica y sociológica (*Casandra*, página 273).

Dios Opulento, Legislador, Jurídico, Canónico y Administrativo; Dios Omnipotente, en su múltiple Naturaleza Política, Eclesiástica y Arbitrista; Eternamente Magistrado de todos los Tribunales; Socio de la Sociedad de Amigos del País; Consejero de Clases Pasivas y de todos los Consejos públicos; Altísimo Banquero; Generalísimo de toda fuerza armada y Sumo Sacerdote y Sumo Jerarca Social, Municipal y Doméstico (p. 346).

Dios Gubernativo y Cacicón que mira por los amigos; Eterno Padre de las Recomendaciones; Legislador incansable... el Dios *de ancha base*, Infinitamente Conservador-Liberal, Eternamente Sensato, Padre del Turno Pacífico y de la Opinión (p. 382).

Pero a las dos damas les llega su último momento: la colombiana muere de muerte natural, la española de muerte violenta... Los funerales respectivos han de ser, necesariamente, espectaculares (*Casandra*, pp. 265-288; *Funerales*, pp. 144-146). A los de la Mamá Grande asiste el propio Vicario de Cristo, amén del Señor Presidente y todas las fuerzas vivas: ministros, Padres de la Patria, industriales, financieros, «arzobispos extenuados por la gravedad de su ministerio, militares de robusto tórax acorazado de insignias» (*Funerales*, p. 145). A los de doña Juana Samaniego, celebrados en la Iglesia Patriarcal de Santa Eironeia, asiste «señorío elegante», militares, «nobleza heráldica, burguesía ricachona» (*Casandra*, p. 274; cf. también página 281). Con la muerte de ambas señoras, en fin, nace una nueva época:

algunos de los allí presentes dispusieron de la suficiente clarividencia para comprender que estaban asistiendo al nacimiento de una nueva época (*Funerales*, p. 146).

Y muere otra, naturalmente; la sociedad patriarcal —o matriarcal— y burguesa, con resabios de feudalismo. *Los funerales de la Mamá Grande* constituye una grandiosa alegoría de dicho cambio. Lo

211

mismo ocurre con *Casandra,* si bien Galdós lo explicita más abiertamente: doña Juana Samaniego era la «hidra que asolaba la tierra» (p. 251); su desaparición supone «la hora de la resurrección, la hora de las grandes iniciativas salvadoras» (página 264); incluso el Dios que ella representaba y sus altares «pronto serán ruinas lastimosas» (página 396).

A más de cincuenta años de distancia, y separado de García Márquez por tantas cosas, Galdós, sin embargo, parece revivir en la extraordinaria narración del escritor colombiano.

d) *Galdós y Cortázar*

En el capítulo 34 de su *Rayuela* (Buenos Aires, 1963; utilizo la quinta edición, 1967), Julio César recurre a un curioso procedimiento orientado precisamente a señalar las grandes diferencias que existen entre una novela realista «convencional» y la suya propia. Consiste en alternar las líneas del capítulo mencionado, su narración, con otras que son una transcripción de todo el capítulo I de *Lo prohibido,* de Pérez Galdós (1884-1885; utilizo la edición de *OC,* IV, Madrid, 1964; tercera, 1675-1676). Un personaje de *Rayuela,* Oliveira, toma un libro del cuarto de la Maga y lee; esa lectura, que aparece en las líneas impares, es la de la novela galdosiana; en las líneas pares figuran los comentarios de Oliveira, en directa y violenta reacción ante el viejo texto. Recuérdese el comienzo de ese capítulo 34:

En septiembre del 80, pocos meses después
[del fallecimiento
Y las cosas que lee, una novela, mal escrita,
[para colmo
de mi padre, resolví apartarme de los negocios,
[cediéndolos
una edición infecta, uno se pregunta cómo
[puede interesarle
a otra casa extractora de Jerez tan acreditada
[como la mía;
algo así. Pensar que se ha pasado horas enteras
[devorando
realicé los créditos que pude, arrendé los pre-
[dios, traspasé
esta sopa fría y desabrida, tantas otras lecturas
[increíbles,

....

libertad con el hospitalario deseo de mi parien-
[te; y alqui-
fin supe hallar un término de conciliación, una
[lengua hecha
lando un cuarto próximo a su vivienda, me puse
[en la situa-
de frases preacuñadas para transmitir ideas
[archipodridas...
(*Rayuela*, p. 227).

Destaquemos esta idea fundamental: «una lengua
hecha de frases preacuñadas para transmitir ideas
archipodridas». El propósito es obvio, pues

213

repetidamente ha venido diciendo Julio Cortázar que la gran lucha del novelista hispanoamericano es con el lenguaje y contra los engaños que éste conlleva, o que no hay verdadera creación novelesca sin creación del lenguaje o sin destrucción de la lengua narrativa admitida (10).

Cortázar demuestra por medio de esa maligna comparación entre Galdós y él mismo algo en verdad fundamental, señalado por Carlos Fuentes:

lo que ha muerto no es la novela, sino, precisamente, la forma burguesa de la novela y su término de referencia, el realismo (11).

Pero Cortázar, sin dejar de tener razón y de llevar a cabo una impresionante tarea renovadora, es también injusto, al continuar al cabo del tiempo y de tantas cosas más en la línea de los viejos epítetos garbanceriles con que Valle-Inclán denostaba a Galdós, asimismo de modo harto incomprensivo (12). Pues el propio autor de *Lo prohibido*, en continua experimentación técnica, proceso paralelo al de su radicalización política, fue evolucionando durante toda su vida hacia una superación del realismo convencional y terminó, como

---

(10) Juan Loveluck, «Aproximación a Rayuela», *RIA*, núm. 65 (enero-abril, 1968), p. 87. Cf. también Ana María Barrenechea, «*Rayuela*, una búsqueda a partir de cero», *Sur*, núm. 288 (1964), pp. 69-73, y Luis Harss, *Los nuestros* (Buenos Aires, 1966), p. 285.
(11) *La nueva novela hispano-americana* (México, 1969), p. 17.
(12) Cf. en este mismo libro capítulo III, nota 134, y capítulo IV b.

214

sabemos, escribiendo *desde* la burguesía, pero *en contra* de esa misma burguesía (13). El propio Galdós sabía muy bien de los peligros de la petrificación lingüística, correlato del anquilosamiento social y espiritual:

> El abuso de las pompas rituales es uno de mis mayores suplicios en la época presente... Así los que dirigen mi nacional cotarro, como la turbamulta gregaria que se deja dirigir, viven en un mundo de ritualidades, de fórmulas, trámites y recetas. El lenguaje se ha llenado de aforismos, de lemas y emblemas; las ideas salen plagadas de motes, y cuando las acciones quieren producirse, andan buscando la palabra en que han de encarnarse y no acaban de elegir... (14).

Se trata, simplemente, de un problema que se plantea periódicamente como consecuencia del proceso dialéctico de la Historia, siempre que el sistema político-social de un momento determinado se encierra en sí mismo y pretende, tan ciega como inútilmente, autoperpetuarse. Ya el maestro Nebrija lo había visto con extraordinaria genialidad al decir que lengua e Imperio son inseparables. No es casual que en nuestros mismos días Juan Goytisolo esté llevando a cabo una desmitificadora tarea, comenzando, claro está, por la lengua. Así ocurre

---

(13) Como he intentado demostrar en los capítulos anteriores del presente libro.
(14) *El caballero encantado* (Madrid, 1909), p. 94.

en *Reivindicación del conde don Julián* (México, 1970), en que cierto carpetovetónico personaje «departe aún sobre la historia patria y el régimen de las preposiciones» (p. 163), utilizando sabia y castizamente el castellano:

> ¡Qué armonía, qué cadencia, qué ritmo, qué imágenes!: y en cada parte de la oración y en cada oración del período, ¡qué elipsis, transiciones, giros!... tropos, sinécdoques, metonimias, metáforas se suceden vertiginosamente como un sutuoso castillo de fuegos de artificio: hipérboles, silepsis, antítesis, repeticiones que subraya con su bella voz de bajo (p. 177).

Es necesario, por lo tanto, destruir todo el mítico montaje del lenguaje, y esto es lo que hace Goytisolo:

> la destrucción de una España sagrada, fundada en la posesión de un léxico pútrido como las tumbas de El Escorial..., demostrar la falsedad y corrupción del tradicional lenguaje literario español y demostrar en qué medida las instituciones morales, económicas y políticas de España se fundan en la consagración de una retórica en la que los valores de la «pureza» y del «casticismo» justifican una cultura cerrada y un sistema de dependencias y relaciones de sumisión (15).

---

(15) Fuentes, *op. cit.,* pp. 79-80. Cf. también Julio Rodríguez-Puértolas, «Las reivindicaciones de Juan Goytisolo», *EF,* VII (1971), 251-260.

Lo mismo que hace Cortázar en *Rayuela*, rechazar violentamente

ese mundo oculto tras «la gran máscara podrida de Occidente» (16).

Y lo mismo también que, a otro nivel y con otras características, intentó llevar a cabo el propio Galdós, al atacar la sociedad de la Restauración, con plena conciencia del problema.

Por otro lado, conviene señalar que lo que hace Cortázar en *Rayuela* al comparar textos y estilos diferentes dentro de la narración, no es estrictamente novedoso. Resulta de enorme interés el que ya *Azorín* realizase algo muy semejante a principios de siglo. En *La voluntad* (Barcelona, 1902; utilizo la edición de E. Inman Fox, Madrid, 1968), el personaje Yuste compara en cierto momento (I, cap. XIV, pp. 130-132) dos libros que toma de su biblioteca, sin mencionar —al igual que Cortázar— títulos ni autores. Se trata de *Entre naranjos* (1901), de Vicente Blasco Ibáñez, y *La casa de Aizgorri* (1900), de Pío Baroja. Obras de las que *Azorín* cita sendos pasajes con objeto de contrastar su modo respectivo de describir un paisaje, pues para él, «lo que da la medida de un artista es su sentimiento de la naturaleza, del paisaje... Un escritor será tanto más artista cuanto mejor sepa interpretar la *emoción del paisaje*» (*La voluntad*, páginas 130). Las preferencias de Yuste/*Azorín* aparecen bien claras. El fragmento de Blasco Ibáñez

(16) Loveluck, art. cit., p. 87; cf. *Rayuela*, p. 560.

(cf. en *OC*, I; Madrid, 1949, 2.ª; 580-581) es duramente criticado por recurrir seis veces «a la superchería de la comparación», por no haber en él «nada plástico, *tangible*», por ser un paisaje sin «movimiento y ruido», sin detalles que den una «sensación total». El texto de Baroja (cf. *OC*, I; Madrid, 1946, 32) es introducido así: «Otra página... es de un novelista joven, acaso... y sin acaso, entre toda la gente joven el de más originalidad y el de más honda emoción estética». Siguen unas consideraciones acerca de la «elocuencia y corrección de los diálogos, insoportables, falsos» en una línea de autores que va desde Cervantes hasta Galdós (sic) (17). Se trata, por lo tanto, de una sensibilidad generacional, y por lo mismo, bien enmarcada en un tiempo y en un espacio, es decir, en un momento histórico (18).

Así pues, si por un lado, lo hecho por Cortázar en el capítulo 34 de *Rayuela* no constituye una auténtica novedad a la luz de *La voluntad*, por otro demuestra —como también en el caso de *Azorín*— no tanto una notoria injusticia con respecto a Galdós, sino, lo que es más grave, un desenfoque serio de interpretación histórica, al olvidarse de que cada momento exige su propia sensibilidad y su propia expresividad literaria.

---

(17) Acerca de las mitificadoras y reaccionarias teorías de *Azorín* sobre el paisaje y la historia, cf. Carlos Blanco Aguinaga, *Juventud del 98* (Madrid, 1970), pp. 115-164 y 307-318.
(18) Cf. Georg Lukacs, *Prolegómenos a una estética marxista* (México, 1965).

INDICE

EDICIONES TURNER

Títulos publicados